국민대학교 문화교차연구소
성리학의 감정과학 연구총서 4

장재 정몽의 감정과학

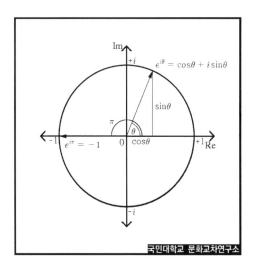

국민대학교 문화교차연구소
성리학의 감정과학 연구총서 4

장재 정몽의 감정과학

발 행 | 2024년 07월 08일
저 자 | 성동권
펴낸이 | 한건희
펴낸곳 | 주식회사 부크크
출판사등록 | 2014.07.15.(제2014-16호)
주 소 | 서울특별시 금천구 가산디지털1로 119 SK트윈타워 A동 305
호 **전 화** | 1670-8316
이메일 | info@bookk.co.kr

ISBN | 979-11-410-9377-8

www.bookk.co.kr
ⓒ 성동권 2024

국민대학교 문화교차연구소
성리학의 감정과학 연구총서 4

장재 정몽의 감정과학

성동권

국민대학교 문화교차연구소
성리학의 감정과학 연구총서 4

「 장재 정몽의 감정과학 」

목 차

● 서문 1: 성리학의 감정과학 출판 소개 ⋯ 13

● 서문 2: 감정과학의 '성리학 장르' 분석 ⋯ 19

● 서문 3: '참고문헌'에 관하여 ⋯ 49

제1부 신에 관하여

1장. 모든 것의 기원으로서 神 … 57
신

1. 太和: 모든 몸의 기원
   태 화

2. 太虛: 神의 몸
   태 허 신

3. 단 하나의 영원무한

2장. 神의 본성 … 85
신

1. 神의 섭리
   신

2. 形而上과 形而下
   형 이 상   형 이 하

3. 天德: 영원무한의 필연성
   천 덕

3장. 神을 향한 지적인 사랑 … 97
신

1. 窮神知化: 일상의 성스러움
   궁 신 지 화

2. 天之生物: 영원 아래에서
   천 지 생 물

3. 天性在人: 인간의 절대 평등
   천 성 재 인

제2부 정신의 본성에 관하여

1장. 영원무한의 사랑 ··· 113

1. 心: 인간의 마음
   심

2. 聖人之心: 성스러운 인간의 마음
   성 인 지 심

3. 성스러운 '사람'의 성스러운 '사랑'

2장. 영원무한의 생명 ··· 125

1. 神의 몸으로 존재하는 나
   신

2. 자기구원의 행복

3. 자기 몸: 神의 몸이 自然의 몸
   신   자 연

3장. 자기 몸에 대한 참다운 인식 ··· 139

1. 窮理盡性: 자기이해의 정신력
   궁 리 진 성

2. 以性成身: 자기 몸의 理
   이 성 성 신   리

3. 생명과 사랑으로 존재하는 나의 몸

제3부 감정의 본성에 관하여

1장. 다 좋은 감정 ⋯ 157

   1. 감정의 본성으로 존재하는 太虛
태 허

   2. 감정에 대한 참다운 인식

   3. 감정과학의 논리

2장. 욕망의 이성 ⋯ 169

   1. 仁을 행복으로 추구하는 욕망
인

   2. 善을 지키는 學
선　　　　학

   3. 是非와 好惡의 교차
시 비　호 오

3장. 욕망의 왜곡 ⋯ 181

   1. 爲我: 자기만을 위하는 사사로움
위 아

   2. 兼愛: 자기를 버려두는 사사로움
겸 애

   3. 不思不學: 익숙한 것에 대한 집착
불 사 불 학

제4부 인간의 예속에 관하여

1장. 의지력에의 예속 ··· 195

1. 意志의 오류
   의 지

2. 修養論의 오류
   수 양 론

3. 不可知의 오류
   불 가 지

2장. 감각적 현상에의 예속 ··· 209

1. 喪心: 不思의 비극
   상 심   불 사

2. 成心: 고정관념의 오류
   성 심

3. 親: 새로움에 대한 不學의 비극
   친   불 학

3장. 악(惡)에의 예속 ··· 221

1. 惡의 제거
   악

2. 無情한 세상
   무 정

3. 惡이 존재한다는 생각
   악

제5부 인간의 자유에 관하여

1장. 자기 본성의 필연성 ··· 233

1. 後驗分析
후 험 분 석

2. 知德
지 덕

3. 知行一致
지 행 일 치

2장. 예술의 아름다움 ··· 247

1. 다 좋은 세상
2. 인생 예술
3. 예술의 성스러움

3장. 인간의 행복 ··· 255

서 문

서문 1: 성리학의 감정과학 출판 소개

국민대학교 문화교차연구소의 '연구총서 시리즈'《성리학의 감정과학》은 중국 남송(南宋) 시대의 철학자 주자(朱子, 1130~1200)에 의해서 학문론으로 정립된 '성리학'(性理學)을 '감정과학'(Science of Feelings)으로 연구합니다. '감정과학'은 감정의 현상을 선악(善惡)으로 해석하고, 이후 '악'(惡)으로 지목된 감정을 조절하거나 제어함으로써 이상적인 '선'(善)의 경지로 도달하게 하는 '목적론적 윤리학'이 아닙니다. 무한한 방식으로 무한한 감정의 현상에 나아가 그 각각에 고유한 본성의 필연성을 인식함으로써 모든 감정이 영원의 필연성 안에서 순수지선으로 존재하고 있다는 사실을 확인하는 학문론이 '감정과학'입니다.

'성리학'의 본질을 '감정과학'으로 규명하는 것은 현대적 '재해석'이 아닙니다. 주자의 성리학을 충실히 계승함으로써 그 본질을 명확하게 밝힌 조선 시대 성리학자 퇴계 이황(退溪 李滉, 1501~1570)의 작품인 『성학십도』(聖學十圖)에 근거하면, 성리학은 감정의 본성을 이해함으로써 감정의 순수지선을 이해하는 '감정과학'입니다. 퇴계 선생님은 『성학십도』(聖學十圖)의 「제6도 심통성정도(心統性情圖)」의 '중도'(中圖: 두 번째 그림)와 '하도'(下圖: 세 번째 그림)에서 성리학(性理學)의 핵심을 다음과 같이 요약했습니다.

其中圖者。就氣稟中指出本然之性不雜乎氣稟而爲言。子思所謂天命之性。孟子所謂性善之性。程子所謂卽理之性。張子所謂天地之性。是也。其言性旣如此。故其發而爲情。亦皆指其善者而言。如子思所謂中節之情。孟子所謂四端之情。程子所謂何得以不善名之之情。朱子所謂從性中流出。元無不善之情。是也。其下圖者。以理與氣合而言之。孔子所謂相近之性。程子所謂性卽氣氣卽性之性。張子所謂氣質之性。朱子所謂雖在氣中。氣自氣性自性。不相夾雜之性。是也。其言性旣如此。故其發而爲情。亦以理氣之相須或相害處言。如四端之情。理發而氣隨之。自純善無惡。必理發未遂。而掩於氣。然後流爲不善。七者之情。氣發而理乘之。亦無有不善。若氣發不中。而滅其理。則放而爲惡也。夫如是。故程夫子之言曰。論性不論氣不備。論氣不論性不明。二之則不是。然則孟子 , 子思所以只指理言者。非不備也。以其幷氣而言。則無以見性之本善故爾。此中圖之意也。

위에 제시된 원문의 뜻을 번역하면 다음과 같습니다. (원문에 대한 직역이 아니라 원문이 품고 있는 뜻을 번역하면 아래와 같습니다.)

　　우리가 우리 자신의 몸에 나아가 몸 그 자체의 본성인 '성리'(性理: 子思所謂天命之性。孟子所謂性善之性。程子所謂卽理之性。張子所謂天地之性。)를 명백하게 인식하면, 이로부터 우리는 몸이 느끼는 감정 그 자체의 본성인 '정리'(情理:　子思所謂中節之情。孟子所謂四端之情。程子所謂何得以不善名之之情。朱子所謂從性中流出。元無不善之情。)를 영원의 필연성으로 인식하게 됩니다.

　　이 인식 덕분에 우리는 감정의 무한 양태인 정기(情氣)를 감각적 현상에 의존하여 그것의 선악(善惡)과 시비(是非)를 판단하는 인식의 오류에 빠지지 않게 됩니다. 감정의 무한 양태인 정기(情氣)는 본래부터 자기 안에 정리(情理)를 품고 있다는 사실이 성리(性理)에 의해서 진리의 필연성으로 분명합니다. "如四端之情。理發而氣隨之。自純善無惡。"의 뜻입니다.

　　그러므로 우리가 이 사실을 이해하고 믿는 한에서 우리는 정기(情氣)에 나아가 정리(情理)를 명명백백하게 인식해야 합니다. 그 결과 우리는 무한한 방식으로 무한하게 존재하는 정기(情氣)가 단 하나의 예외 없이 본래부터 최고의 완전성 안에서 순수지선으로 존재한다는 사실을 명석하고 판명하게 이해하게 됩니다. "然則孟子, 子思所以只指理言者。非不備也。以其幷氣而言。則無以見性之本善故爾。此中圖之意也。"의 뜻입니다.

합리기(合理氣)의 성(性: 몸)에 나아가 '성리'(性理: 몸 그 자체의 본성)를 명확히 인식하는 것이 매우 중요합니다. 이 인식에 기초하여 몸이 느끼는 감정으로 살아간다는 사실을 공리(公理)로 요약한 '성발위정'(性發爲情)에 근거하여 분석하면, 정(情)도 당연히 합리기(合理氣)로 존재한다는 사실이 연역됩니다. 감정에도 리(理)가 존재한다는 사실이 분명하므로 합리기(合理氣)의 정(情)에 나아가 정리(情理)를 명확하게 인식할 수 있는 기초가 확립됩니다. 이 기초 위에서 무한한 감정을 배울 때 우리는 모든 감정이 본래부터 순수지선으로 존재하고 있다는 사실을 이해할 수 있습니다. 이 이해로부터 우리는 감정을 느끼며 살아가는 모든 것이 본래부터 순수지선의 축복 속에 존재하고 있다는 사실을 확인할 수 있습니다.

우리는 매순간 감정으로 존재하며 감정으로 살아갑니다. 이 자명한 사실에 근거하여 우리는 자신의 행복을 위해서 반드시 감정 그 자체의 진실을 묻고 배워야 합니다. 감정을 이해하는 것이 곧 우리 자신을 이해하는 것입니다. 더 나아가 세상 모든 사람과 자연의 모든 것을 이해하는 방법이 그들 각각에 고유한 감정을 이해하는 것입니다. 퇴계가 주자의 성리학 덕분에 깨닫게 된 진리입니다. 퇴계 선생님에 의하면 '성리학'은 필연적으로 '감정과학'입니다. 이 사실을 증명하기 위하여 선생님은 「제6도 심통성정도」에서 선진(先秦) 시대

의 '공맹'(孔孟)으로부터 남송(南宋) 시대의 주자(朱子)에 이르는 '유교
-성리학'의 역사를 감정과학의 역사로 다시 정리합니다.

퇴계 선생님의 주자 성리학에 대한 이해는 다음과 같이 요약됩니
다.

'성리'(性理)를 향한 배움(學)은 필연적으로 정리(情理)를 향한 배움(學)으
로 전개됩니다.

이러한 진리를 가르쳐주기 위하여 퇴계 선생님은 「제6도 심통성
정도」에서 '중도'와 '하도'를 그렸으며 그에 대한 설명을 간단명료하
게 제시했습니다. '성리학'(性理學)의 본질을 '정리학'(情理學)으로 규
명하는 퇴계 선생님의 '성학'(聖學)을 국민대학교 문화교차연구소는
'감정과학'으로 정의합니다. 국민대학교 '문화교차학과'와 이 학문을
전문적으로 탐구하는 기관인 '문화교차연구소'는 퇴계 선생님의 성학
(聖學)에 기초합니다.

그러나 매우 안타깝게도 퇴계 선생님의 『성학십도』 이후 지금에
이르기까지 선생님이 제시한 성학(聖學)의 본뜻이 무엇인지 분명하게
연구되지 않았을 뿐만 아니라 성리학(性理學)의 본질이 감정과학으로
서 '정리학'(情理學)이라는 사실 또한 분명하게 정리되지 않았습니다.
이에 국민대학교 문화교차연구소는 성리학을 감정과학으로 증명하는
총서 시리즈 《성리학의 감정과학》을 세상에 내놓습니다. 문화교차연
구소의 새로운 총서 시리즈 《성리학의 감정과학》은 이 목적을 위해
구체적으로 『성리대전』에 수록된 작품들을 선별하여 감정과학으로
증명합니다.

『성리대전』은 중국의 송명 시대의 성리학(性理學)을 집대성한 책입니다. '성리'에 관련된 모든 저술들을 총망라한 것이 『성리대전』이므로 성리학의 본질을 '정리학'(情理學) 또는 '감정과학'(Science of Feelings)으로 규명하는 방법은 이 책에 수록된 저서들을 '감정과학의 논리'로 분석하는 것입니다. 이에 국민대학교 문화교차연구소는 성리학의 기초를 확립한 중국의 북송 시대 철학자 '장재'(張載, 1020년 ~ 1077년)의 작품인 『서명』(西銘)에 대한 감정과학의 분석에 이어서 총서 시리즈 네 번째인 장재의 『정몽』(正蒙)에 대한 감정과학의 분석을 세상에 내 놓습니다. '감정과학의 논리'는 이어지는 「서문 2: 감정과학의 '성리학 장르' 분석」에서 논의합니다.

국민대학교 문화교차연구소장

성동권 올림.

　　『장재 정몽의 감정과학』

서문 2: 감정과학의 '성리학 장르' 분석

성리학(性理學)

성리학(性理學)은 말 그대로 '성리'(性理)를 배우는 '학문'(學)입니다. 여기에서 다음과 같은 질문이 성립합니다.

'성리'(性理)는 무엇입니까?
'성'(性)은 무엇입니까? '리'(理)는 무엇입니까?

이 질문들에 대한 '감정과학'의 대답은 매우 간단합니다.

성리학(性理學)은 '몸의 생김'(性)에 고유한 '본성의 필연성'(理)을 배운다(學). 몸의 영원한 진실(性理)를 배우는 학문이 성리학이다.

우리는 '몸'으로 살아갑니다. 지금 우리 자신의 몸이 존재하지 않는다면, 그 어떤 것으로도 우리 자신의 존재를 확인할 수 없습니다. 이것은 우리 자신만의 진실이 아니라 자연 전체의 진실입니다. 자연의 모든 것은 자신의 몸으로 살아가며, 그렇게 존재하는 모든 몸은 자신과 무한히 다른 몸과 함께 무한한 방식으로 무한하게 교차하며 살아갑니다. 그렇기 때문에 무엇보다도 '몸'이 진실로 소중합니다. 몸을 절대로 함부로 해서는 안 됩니다. 성리학은 이 사실을 '경신'(敬身)으로 요약합니다. 자기 스스로 자기 몸을 존경하고 고마워하는 것이 학문의 시작이자 끝입니다.

학문의 핵심은 지금 우리 자신의 몸입니다. 그런데 몸이 생겨나지 않으면 몸으로 살아간다는 것은 '절대적'으로 성립할 수 없습니다. 몸이 생겨나야 몸으로 살아갈 수 있습니다. 이로부터 '생김'이 '살아가기'에 앞선다는 사실은 자명합니다. 이 자명한 진리에 근거하여 우리는 몸에 대한 이해를 '생김'과 '놀이'로 나누어 이해할 수 있습니다. '놀이'는 생겨난 몸으로 살아가는 우리 자신의 이야기입니다. 이 이야기를 '경험' 또는 '후험'(後驗)이라 합니다. 한편, 우리 몸의 '생김'은 우리 자신의 몸으로 경험하는 '놀이'에 앞선 것이므로 이와 관련된 이야기를 '선험'(先驗)이라 합니다. '경험(驗)에 앞서서(先)'를 뜻합니다. 따라서 우리는 다음과 같이 개념을 정의할 수 있습니다.

① 몸-생김: 선험(先驗)
② 몸-놀이: 후험(後驗)

선험(先驗) X 후험(後驗)

생겨난 몸으로 살아가는 우리 자신의 이야기를 '몸-놀이' 또는 '후험'(後驗)으로 정의할 때, 그것의 진실은 무엇일까요? 이 물음에 대한 답은 당연히 몸으로 살아가는 우리의 삶에서 찾아야 합니다. 우리의 삶을 떠나서 답을 구할 수 있다는 생각은 터무니없는 것입니다. 왜냐하면 질문의 요지는 '후험'으로서 지금 우리 자신의 몸-놀이가 품고 있는 실상이 무엇인지 묻는 것이기 때문입니다. 이 사실에 근거하여 우리 스스로 생각해 보면, 몸으로 살아간다는 것은 실질적으로 몸의 무한 변화를 경험하는 것입니다. 우리의 몸은 단 한 순간도 쉬지 않고 자기 스스로 무한히 변화하며, 동시에 무한히 변화하는 다른 몸과의 교차를 통해서도 무한하게 변화합니다.

다음으로 몸의 무한 변화에 나아가 그 모든 변화의 '순간'에 대해서 생각해 보면, 그것은 사실상 '감정'입니다. 예를 들어서 우리는 어느 순간 '배고픔'을 느끼기도 하며, 또 다른 어느 순간 '피곤함'을 느끼기도 합니다. 우리는 몸의 순간 변화를 '배고픔' 또는 '피곤함'이라는 감정으로 확인합니다. 친구와의 만남도 마찬가지입니다. 길을 걷다가 갑자기 친구를 만나면 우리 몸은 '기쁨'이라는 감정으로 순간 변화하며, 우리의 마음은 그 감정을 자각합니다. 이처럼 몸으로 살아가는 우리의 일상인 몸-놀이에 대해서 우리 스스로 생각해 보면, 몸-놀이의 실상은 몸의 무한 변화인 '감정'이라는 것을 알 수 있습니다. 따라서 몸-놀이의 후험(後驗)을 다음과 같이 보다 구체적으로 정의할 수 있습니다.

② 몸-놀이: 후험(後驗) = 감정(情)

위의 정의에 입각하여 몸-생김의 '선험'(先驗)에 대해서 생각해 봅시다. 몸-놀이에 앞서는 몸-생김의 진실은 무엇일까요? 이 질문에 대한 답을 우리 자신의 몸 밖에서 구할 수 있다고 생각한다면, 이 또한 터무니없는 착각입니다. 왜냐하면 지금 우리의 질문은 우리 자신의 몸-생김에 대한 것이기 때문입니다. 이 대목에서 우리 스스로 생각해야 합니다. 우리 자신의 몸은 어떻게 생겨난 것일까요? 이 물음에 대한 답은 어린이도 할 수 있습니다. 오히려 어린이가 더 쉽게 답할 수 있는 문제입니다. 무엇일까요? 정답은 '엄마아빠의 사랑'(정확히 말해서 'sex')입니다. 엄마아빠의 '사랑'이 아니면 '지금' 우리의 몸은 절대적으로 생겨날 수 없습니다.

영원의 필연성으로 지금 우리의 몸은 '엄마아빠의 사랑'으로 생겨납니다. 여기에는 그 어떤 우연성이나 가능성이 없습니다. 절대적인 영원의 필연성 안에서 엄마아빠의 사랑이 지금 우리의 몸을 생겨나게 했습니다. 그렇기 때문에 우리가 몸-생김의 실상을 지금 우리 자신의 몸으로 이해하는 한에서 몸-생김의 진실은 '엄마아빠의 사랑'입니다. 우리의 몸은 현상적으로 얼마든지 엄마의 몸 또는 아빠의 몸으로 존재하지 않을 수 있습니다. 세상에 부모가 되지 못한 사람은 여러 이유로 많습니다. 그러나 우리의 몸은 절대적으로 엄마아빠의 사랑으로 생겨납니다. 이 사랑(sex), 즉 '부모의 사랑' 없이 생겨난 자식의 몸은 절대적으로 존재하지 않습니다.

이상의 논의에 기초하여 몸-생김의 선험(先驗)을 다음과 같이 보다 구체적으로 정의할 수 있습니다. 앞에서 정의한 몸-놀이의 후험(後驗)과 함께 보겠습니다.

① 몸-생김: 선험(先驗) = 엄마아빠의 사랑(sex)
② 몸-놀이: 후험(後驗) = 감정(情)

몸-생김의 선험(先驗)에 고유한 진실로서 '엄마아빠의 사랑(sex)'을 성리학(性理學)은 '성'(性)으로 정의합니다. 왜냐하면 이 사랑이 지금 내 몸의 존재를 결정하는 단 하나의 영원한 필연성이기 때문입니다. 이 정의를 두고 현대 성리학을 연구하는 학자들이 수많은 반론을 제기할 수 있지만, 이 문제는 쉽게 해결됩니다. 다음에 제시하는 성리학(性理學)의 기본 공리(公理)로 논의를 시작하겠습니다.

성발위정(性發爲情)

정(情)은 성(性)과 절대적으로 떨어질 수 없습니다. 그리고 이 둘 사이에 있는 '발위'(發爲)에 근거하면 당연히 성(性)은 정(情)에 앞섭니다. 정(情)에 대한 정의는 앞에서 충분히 증명하였듯이 몸-놀이의 '후험'(後驗)입니다. 이로부터 성(性)에 대한 정의는 '성발위정'(性發爲情)에 근거하여 몸-놀이의 '후험'(後驗)에 앞서는 '선험'(先驗)으로서 '몸-생김'이라는 사실이 명백하게 연역됩니다. 몸이 생겨나지 않으면 몸으로 하는 놀이는 상상할 수 없기 때문에 이 연역은 자명한 진리입니다. 그런데 몸-생김의 진실은 이미 논한 바와 같이 '엄마아빠의 사랑(sex)'입니다. 따라서 성(性)을 엄마아빠의 사랑으로 이해하는 것은 기하학적 질서의 필연성에 의해서 진리의 필연성 그 자체입니다. 따라서 '성정'(性情)에 대한 다음과 같은 정의가 성립됩니다.

① 몸-생김: 선험(先驗) = 엄마아빠의 사랑(sex) = 성(性)
② 몸-놀이: 후험(後驗) = 정(情)

위의 정의를 다음과 같이 요약할 수 있습니다.

엄마아빠의 사랑(sex)에 의해서 생겨난 나의 몸(性)은 살아가면서 무한한 방식으로 변화하며, 그 무한 변화의 순간순간인 감정(情)의 무한으로 존재한다. 몸의 순간 변화를 우리가 감정으로 정의하는 한에서.

그런데 우리의 논의가 이 지점에 이르면, 뜻밖에 불같이 화를 내는 분들을 만나게 됩니다. 여기에는 크게 두 가지 곡절이 있습니다.

① 우리가 어린 시절 부모로부터 받은 정서적 또는 신체적 학대
: 부모로부터 학대를 당한 자식들은 엄마아빠의 사랑에 대해서 극도의 거부감을 느끼게 됩니다.

② 출생의 비밀
: 몸-생김의 본질로 존재하는 엄마아빠의 사랑을 둘러싼 이야기에는 수많은 소문과 사건이 있습니다. 가장 대표적으로 '금수저' '흙수저' 같은 '수저 계급론', 또는 차마 말할 수 없는 강간이나 고아 등과 같은 비극 한 가운데 엄마아빠의 이야기가 있습니다.

크게 위와 같은 두 가지 슬픔 속에 있는 자식들은 일반적으로 엄마아빠의 사랑에 대해서 극도의 거부감을 느끼게 됩니다. 이 주제는 매우 민감하고 그만큼 다루기 어려운 주제이지만, 그럼에도 불구하고 우리는 반드시 이 주제를 배워서 이해해야 합니다. 왜냐하면 몸-생김은 우리 자신의 몸을 이해하는 기초이며 동시에 행복의 기초이기 때문입니다. 이미 논의한 바와 같이 몸-놀이에 앞서는 것이 몸-생김입니다. 여기에는 엄마아빠의 사랑이 본질로 존재합니다. 이 사랑에 대한 우리의 이해가 최고의 완전성 내지는 순수지선의 아름다움이 아니라면 그 즉시 우리 몸의 생김은 불완전한 것이 됩니다. 이미 시작이 불완전이라면 몸-놀이 또한 불완전한 것입니다.

이 지점에 이르면, 몸으로 생겨나서 몸으로 살아가는 지금 우리 자신의 행복을 위한 가장 확실한 방법은 몸-생김의 진실로 존재하는 '엄마아빠의 사랑'(sex)에 대해서 타당한 인식을 형성하는 것이라는 결론이 나옵니다. 엄밀히 말해서 이 인식은 엄마아빠를 위한 것이 아니라 지금 '나' 자신의 행복을 위한 것입니다. 다시 강조하지만, 몸으로 생겨나 몸으로 살아가는 지금 '나' 자신의 행복을 위해서 엄마아빠의 사랑(sex)을 이해하는 것입니다. 몸으로 생겨나 몸으로 살아가는 지금 '나' 자신의 행복을 떠나서 엄마아빠의 사랑에 대해서 논의하지 않습니다. 이점이 매우 중요합니다.

선험(先驗): 성(性)

우리가 이 논점의 중요성을 이해하면, 앞에서 다룬 두 가지 문제는 뜻밖에 쉽게 해결됩니다. 자식들이 부모로부터 학대를 받았다고 할 때, 이것은 엄격히 말해서 '몸-놀이'의 사건입니다. 몸으로 살아가는 자식이 부모와의 '관계'에서 겪은 자신의 경험입니다. 그런데 '엄마아빠의 사랑(sex)'에 관하여 그 자체만을 두고 보면 이것은 몸-생김을 뜻합니다. '선험'(先驗)의 성(性)입니다. 몸-놀이의 '후험'(後驗)이 아닙니다. 그렇기 때문에 자식이 부모로부터 받은 상처로 인해 자기 몸의 생김에 있는 엄마아빠의 사랑을 부정하는 것은 사실상 선험(先驗)을 후험(後驗)으로 잘못 이해하는 것입니다. 이는 '뒤'(後驗)에 있는 것을 '앞'(先驗)에 두는 모순입니다.

몸의 생김과 놀이에 대한 정의를 다시 봅시다.

① 몸-생김: 선험(先驗) = 엄마아빠의 사랑(sex) = 성(性)
② 몸-놀이: 후험(後驗) = 정(情)

지금 우리가 논의하는 것은 몸-생김의 진실로 존재하는 엄마아빠의 사랑(sex)입니다. 이 사랑이 아니라면 그 어떤 자식의 몸도 생겨날 수 없습니다. 그렇기 때문에 부모로부터 받은 상처나 학대를 경험한 자식이 그것을 근거로 이 사랑을 부정한다면, 이것은 사실상 자기 스스로 자기 존재를 부정하는 것입니다. 이는 몸-놀이의 비극이 몸-생김의 비극으로 옮겨 가는 보다 더 큰 비극입니다. 이때 어떤 학문이 우리 스스로 몸-생김에 대한 타당한 인식을 확립함으로써 우리 몸의 생김과 놀이를 최고의 완전성과 행복으로 이해할 수 있다고 주장한다면, 한번은 이 학문에 대해서 경청할 필요가 있지 않을까요? 이 학문이 지금 우리가 공부하는 '**성리학의 감정과학**'입니다.

다음으로 출생의 비밀에 대해서 생각해 봅시다. 우리 스스로 차분히 생각해 보면, 이 문제도 앞에서 다룬 오류 안에 있습니다. 지금 우리가 논의하는 것은 몸-생김의 '선험'(先驗)으로써 엄마아빠의 사랑(sex)입니다. 가장 중요한 것은 지금 '나'의 몸-생김에 관하여 '선험'으로 존재하는 '엄마아빠의 사랑'입니다. 이 논점을 분명히 하고 위에서 제시한 정의를 보다 단순하게 하면 다음과 같습니다.

① 몸-생김 = **선험(先驗)** = 성(性)
② 몸-놀이 = **후험(後驗)** = 정(情)

지금 '나'의 몸-생김에 대한 이야기로서 '출생의 비밀'은 선험(先驗)의 성(性)이 맞습니다. 엄마아빠의 이야기이기 때문에 그렇습니다. 그러나 이 이야기는 엄밀히 말해서 나의 '경험'에 앞서는 또 다른 '경험'입니다. 나의 몸을 생기게 한 '엄마아빠'와 관련된 경험입니다. 예를 들어서 부유한 남자와 가난한 여자가 서로 만나서 사랑한 것이 지금 내 몸의 생김에 있는 이야기일 수 있고, 극단적으로 어떤 남자로부터 강간을 당한 여자가 지금 내 몸의 생김에 있는 이야기일 수 있습니다. 결국 '출생이 비밀' 등 지금 '나'의 몸과 관련된 생김의 이야기는 선험(先驗)의 성(性)에 있는 것 같지만, 그것의 실상은 후험(後驗/ 경험)에서 나오는 이야기입니다.

그런데 우리가 논의하는 것은 후험(後驗)에 앞서는 또 다른 후험(後驗)이 아닙니다. 후험(後驗)에 앞서는 선험(先驗)입니다. 우리의 생각에 여기에 이르면, 선험(先驗)에 대한 이해와 관련하여 두 가지 논점이 생성됩니다.

① 선험(先驗)
: 후험(後驗)에 앞서는 <u>후험(後驗)으로서 선험</u>

② 선험(先驗)
: 후험(後驗)에 앞서는 <u>선험(先驗) 그 자체로서 선험</u>

위 두 가지 선험(先驗) 중에서 어느 것이 진정한 '선험'일까요? 선험(先驗)은 말 그대로 '경험에 앞선'을 뜻합니다. 이때 선험을 챙긴다면서 어떤 경험에 앞선 또 다른 어떤 경험으로 '선험'을 이해하면,

그것은 어떤 후험에 대하여 단순히 그보다 공간과 시간 상 앞서는 또 다른 '후험'(後驗)입니다. 어떤 공간과 시간 속에서 사건 'A'가 발생했고 그로 인해 또 다른 어떤 공간과 시간 속에서 사건 'B'가 발생했을 때, 사건 'A'는 사건 'B'에게 선험이 분명합니다. 그러나 사건 'A'는 여전히 경험 속에 있습니다. 이러한 맥락에서 '출생의 비밀'은 공간과 시간 상 선험(先驗)일 뿐, 그것은 본질은 또 다른 경험 또는 후험(後驗)일 뿐입니다.

선험(先驗)과 후험(後驗)을 이와 같은 방식으로 이해하면, 결국 이 둘은 공간과 시간 안에서 이해됩니다. 어떤 사건 A와 B가 발생했을 때, 이 둘 사이에 어느 것이 공간과 시간 상 앞에 있고 뒤에 있는지를 확인하면, 그것으로 '선험'과 '후험'이 결정됩니다. 그런데 우리가 이러한 방식으로 '선험'을 이해하면, 우리는 오직 출생의 비밀만으로 몸-생김을 이해할 수밖에 없습니다. 여기에서 뜻하지 않은 비극이 발생합니다. 어떤 사람은 평생을 숨기고 싶은 출생의 비밀로 살아가지만, 반대로 어떤 사람은 자신의 출생을 둘러싼 좋은 조건과 환경으로 살아갑니다. 몸-생김의 비극이 몸-놀이의 비극으로 옮겨가는 보다 더 큰 비극이 발생합니다.

이상, 몸-생김의 선험(先驗)으로 존재하는 '엄마아빠의 사랑(sex)'을 이해함에 있어서 발생하는 대표적인 오류 두 가지를 살펴보았습니다. 감정과학이 이 이해를 '오류'로 명명하는 이유는 무엇보다도 선험(先驗)에 대한 이해를 후험(後驗)으로 시도하기 때문입니다. 이는 논리적으로 모순입니다. 선험은 선험 그 자체로 이해해야 합니다. 우리는 얼마든지 공간과 시간의 한계 안에서 감각적으로 지각되는 어떤 사건에 대한 경험을 선험(先驗)으로 이해할 수 있지만, 이는 '후험'일 뿐입니다. 선험(先驗)을 선험 그 자체로 이해하는 것이 선험에 대한 참다운 이해입니다. 이 이해를 형성하는 능력이 우리에게 본래부터 있기 때문에 선험을 '후험(後驗)에 앞서는 후험(後驗)으로서 선험'으로 이해하는 것은 오류입니다.

분석(分析) X 종합(綜合)

지금 우리의 논의에서 본질적으로 중요한 것은 몸-생김의 선험(先驗)을 엄마아빠의 사랑(sex)으로 정의할 때, 이 사랑에 대한 참다운 인식이 무엇인지 탐구하는 것입니다. 엄마아빠의 사랑(sex)를 공간과 시간의 한계 안에서 감각적으로 지각할 수 있는 사건으로 접근하면, 이것은 실질적으로 자식으로 존재하는 우리의 후험(後驗)에 앞선 엄마아빠의 후험(後驗)에 불과합니다. 이 경우 우리의 선험(先驗)은 사실상 엄마아빠의 후험(後驗)입니다. 결국 앞에서 언급한 바와 같이 선험과 후험을 공간과 시간의 선후로 구분하면, 선험과 후험은 실질적으로 후험으로 수렴됩니다. 이에 따라서 후험에 앞선 선험은 갑자기 후험의 존립 기초로서 '공간과 시간'으로 드러납니다. 공간과 시간이 없으면 '엄마아빠'와 '나'의 후험이 없습니다.

이 지점에서 우리는 전혀 예상하지 못한 결론에 도달합니다. 몸-생김의 선험(先驗)으로서 엄마아빠의 사랑(sex)을 이해하려는 우리의 노력은 수포로 돌아갑니다. 몸-놀이에 앞서는 몸-생김으로서 엄마아빠의 사랑이 지금 내 몸-놀이의 후험(後驗)에 앞서는 후험(後驗)으로 간주된 이상, 이로부터 몸-생김의 선험(先驗)은 후험(後驗)의 전제 조건으로서 '공간과 시간'이라는 추상적 개념으로 제시됩니다. 왜냐하면 선험도 결국 구체적인 공간과 시간으로 감각되는 후험에 불과하기 때문입니다. 이로부터 선험은 공간과 시간이라는 추상적 개념으로 제시됩니다.

그런데 우리가 진실로 알고 싶은 것은 '엄마아빠의 사랑'입니다. 이 주제와 관련하여 뜻밖에 우리에게는 공간과 시간이라는 추상적 개념이 주어집니다. 이처럼 선험(先驗)을 후험(後驗)의 존립기초로서 추상적인 공간과 시간으로 제시하는 것이 칸트(Kant)의 '선험종합'입니다. 이에 근거하여 감정과학은 '종합'과 '선험종합'을 다음과 같이 정의합니다.

종합(綜合)
: 감각적으로 지각되는 모든 몸-놀이, 즉 후험(後驗)의 존립기초로서 '공간과 시간'.

선험(先驗)종합(綜合)
: 몸-생김의 선험(先驗)으로 존재하는 엄마아빠의 사랑(sex)을 공간과 시간의 한계 안에서 감각적으로 지각되는 엄마아빠의 몸-놀이로 이해한다.
: 엄밀히 말해서 '선험종합'은 몸-놀이의 조건으로서 '공간과 시간'이다.

그러나 몸-생김의 '선험'(先驗)인 엄마아빠의 생명과 사랑을 '종합'(綜合)'으로 이해하는 것은 다음과 같은 두 가지 이유로 모순입니다.

① 자식으로 존재하는 우리 자신의 몸에 나아가 '생김'을 생각해 보면, '공간과 시간'이 아니라 '엄마아빠'가 존재합니다. 정확히 말하자면, '엄마의 몸'과 '아빠의 몸'이 자식으로 존재하는 지금 우리 몸의 생김에 고유한 본성의 필연성입니다. 그런데 선험종합은 '공간과 시간'을 몸-생김의 선험으로 이해하고 있습니다. 따라서 이 이해는 몸-생김 그 자체의 본성이 아닙니다.

② 몸-생김은 지금 우리 자신의 몸을 향합니다. 지금 우리 '자신의 몸'에 나아가 생김(선험)을 이해하고 있습니다. 그렇기 때문에 생김(선험)에 대한 이해를 지금 우리 자신의 몸 안에서 해야 합니다. 절대적으로 우리 자신의 몸-생김을 이해함에 있어서 우리의 생각을 지금 우리 자신의 몸 밖에 두면 안 됩니다. 지금 우리 자신의 몸 안에서 몸-생김에 대해서 생각하고, 그 생각 안에서 몸-생김에 대해서 이해해야 합니다. 그런데 선험종합은 지금 우리 몸 밖에 있는 엄마아빠의 몸과 이 두 분의 사랑(sex)을 공간과 시간의 한계 안에서 감각적으로 지각되는 현상으로 이해하고 있습니다. 이 이해는 몸-생김 그 자체의 본성이 아닙니다.

위와 같이 칸트의 선험종합으로 몸-생김을 이해하는 인식의 오류를 두 가지 측면에서 접근하고 이해하는데 성공하면, 우리는 선험을 이해하기 위한 방법으로서 종합(綜合)과는 완전히 차원이 다른 방법을 발견하게 됩니다. 우리는 철두철미 공간과 시간으로 살아가는 후험(後驗)의 몸-놀이로 살아갑니다. 이렇게 후험으로 살아가는 우리가 우리 자신의 몸에 나아가 선험(先驗)에 대해서 생각해 보면, 몸-생김의 선험에 대한 우리의 생각이 **자기 안에서 자기 스스로 자명하게** 형성하는 이해가 있습니다. 이 이해를 '분석'(分析)이라 합니다. 따라서 우리는 다음과 같은 정의를 정립할 수 있습니다.

분석(分析)

: 우리 스스로 생각하는 중에 우리 자신의 생각 안에서 자명한 이해를 영원의 필연성으로 형성함.

선험(先驗)분석(分析)

: 몸-생김의 선험(先驗)으로 존재하는 엄마아빠의 사랑(sex)을 공간과 시간의 한계 안에서 감각적으로 지각하고 그에 의존하여 생각하는 것이 아니라, 지금 우리 자신의 몸에 나아가 우리 스스로 생각하는 중에 우리 자신의 생각 안에서 영원의 필연성으로 엄마아빠의 사랑(sex)을 이해한다.

: 엄밀히 말해서 '선험분석'은 엄마아빠의 영원하고 무한한 생명과 사랑이다.

몸으로 생겨나서 몸으로 살아가고 있는 우리가 지금 우리 자신의 몸에 나아가 '생김'을 이해할 때, 그 방법을 종합(綜合)으로 하면 여기에는 항상 우연성이 개입합니다. '엄마아빠의 사랑(sex)'을 종합으로 이해하면, '나는 왜 이런 부모로부터 생겨났을까?' 또는 '다른 좋은 부모 밑에서 태어났으면 좋을 텐데.'라는 생각을 하게 됩니다. 극단적으로 나아가면 부모의 존재를 부정하려고 합니다. 앞에서 다루었듯이 여기에는 무수한 곡절들이 있습니다. 그러나 그런 곡절들을 가지고 몸-생김의 본질로 존재하는 부모를 부정하게 되면, 이는 실질적으로 자기 스스로 자기 존재의 근간을 부정하는 것입니다. 결국 몸으로 살아가는 자신의 삶은 절대적으로 행복할 수 없습니다.

그러나 우리에게는 '종합'(綜合)이 아닌 '분석'(分析)이 주어져 있습니다. 우리 모두는 각자 자신의 몸으로 살아갑니다. '종합' 안에 있습니다. 우리의 몸을 낳아주신 엄마아빠도 몸으로 살아갑니다. '종합' 안에 있습니다. 그렇기 때문에 몸-생김의 선험(先驗)을 종합으로 이해하는 것은 자연스러운 것입니다. 그러나 우리는 이것을 얼마든지 분석(分析)으로 이해할 수 있습니다. 지금 우리 자신의 몸에 나아가 우리 스스로 생각해 봅시다. 우리 자신의 몸을 향한 우리 자신의 마음은 자기 안에서 자기 스스로 영원의 필연성으로 존재하는 몸-생김의 진실로서 '엄마아빠의 사랑(sex)'을 명백하게 이해합니다.

우리는 몸으로 살아갑니다. 매순간 감정을 느낀다는 것이 이 사실에 대한 증명입니다. 이 사실에 근거하여 우리 자신의 몸에 나아가 몸의 생김을 우리 스스로 생각해 보면, '엄마의 몸과 아빠의 몸이 서로 사랑한 결과 지금의 내 몸이 영원의 필연성으로 존재하도록 결정되었다.'는 사실을 명백하게 이해합니다. 여기에는 우연성이 없습니다. 이 이해는 종합이 아닌 분석에 기초하기 때문에 영원의 필연성을 속성으로 갖습니다. 왜냐하면 우리는 이 이해 이외 다른 방식으로 우리 몸의 생김을 이해할 수 없기 때문입니다. 영원의 필연성을 확인하는 것이 '분석'입니다.

엄마의 몸은 생명이며, 아빠의 몸도 생명입니다. 이 생명이 영원의 필연성으로 존재한다면, 그것의 속성은 '영원무한'입니다. 여기에는 절대적으로 죽음이 없습니다. 이 사실에 근거하여 '엄마아빠의 사랑(sex)'도 이해할 수 있습니다. 지금 우리 몸의 생김으로 존재하는 엄마아빠의 사랑은 영원무한의 생명 안에 있기 때문에, 이 사실로부터 사랑의 속성은 생명과 마찬가지로 '영원무한'입니다. 이제 우리는 몸-생김의 진실로서 엄마아빠의 존재가 영원무한의 생명이라는 사실, 그리고 이로부터 엄마아빠의 사랑 또한 영원무한의 사랑이라는 사실을 확인했습니다. 몸-생김으로서 선험(先驗)은 엄마아빠의 사랑이며, 이것은 영원의 필연성 안에서 '영원무한의 생명과 사랑'입니다.

진리의 필연성 안에서 영원무한의 생명과 사랑이 존재하며, 이 존재로부터 지금 우리의 몸이 영원의 필연성으로 생겨났습니다. 이 이해가 몸-생김에 대한 타당한 인식입니다. 감정과학은 이처럼 몸-생김의 선험(先驗)을 분석(分析)으로 이해하는 '선험분석'을 '성리'(性理)라고 정의합니다. 리(理)는 필연(必然)을 뜻하기 때문에 우리가 몸-생김의 선험(先驗), 즉 '성'(性)을 분석(分析)에 기초하여 영원무한의 필연성인 리(理)로 이해하는 한에서 '리'와 '분석'은 본질적으로 동일한 개념입니다. 선험분석(先驗分析)이 성리(性理)인 이유입니다. 드디어 우리는 서문의 첫 번째 질문으로 돌아갈 수 있고, 문제의 답을 구할 수 있게 되었습니다.

이곳 서문에서 제기된 질문은 다음과 같습니다.

> '성리'(性理)는 무엇입니까?
> '성'(性)은 무엇입니까? '리'(理)는 무엇입니까?

이 질문에 대한 감정과학의 답을 다음과 같이 요약할 수 있습니다.

> '성'(性)은 '몸-생김'을 설명하는 '선험'(先驗)입니다. '리'(理)는 '영원의 필연성'을 이해하는 '분석'(分析)입니다. 그렇기 때문에 성리(性理)는

몸-생김의 선험(性)을 영원의 필연성(理)으로 이해하는 것입니다. 이 이해를 추구하는 학문이 성리학(性理學)입니다. 따라서 '성리학'은 영원무한의 생명과 사랑이 존재한다는 명백한 사실 안에 지금 우리의 몸이 영원의 필연성으로 생겨나도록 결정되었다는 사실을 이해하는 학문입니다.

우리가 성리학을 연마함으로써 몸-생김의 진실로서 엄마아빠의 사랑을 영원무한의 생명과 사랑으로 이해하는 것이 왜 중요할까요? 무엇보다도 이 이해가 우리 몸의 생김에 대한 올바른 이해입니다. 그리고 이 이해가 분명할 때, 선험종합(先驗綜合) 속에 있는 엄마아빠의 사랑 이야기를 이해할 수 있습니다. 선험종합으로 존재하는 엄마아빠도 결국 '몸'으로 존재하기 때문에 엄마아빠의 몸에 고유한 몸-생김의 진실은 영원무한의 생명과 사랑을 본성의 필연성으로 갖습니다. 이 대목에서는 그 어떤 출생의 비밀이나 비극 같은 것은 없습니다. 모두가 단 하나의 필연성인 선험분석 안에서 선험종합을 배워서 이해하고, 그 결과 최상의 행복을 누리게 됩니다.

우리가 선험분석을 분명하게 이해하지 못하면, 뜻밖에 부모에 대한 원망에 휩싸이게 됩니다. 그러나 영원무한의 생명과 사랑 안에서 공간과 시간 속에 있는 엄마아빠의 사랑(sex) 이야기를 이해할 때, 부모를 향한 원망은 사라집니다. 그렇기 때문에 부모(생김)를 향한 자식의 원망은 엄밀히 말해서 몸-생김의 비극이 아니라 인식의 비극입니다. 이 비극이 우리 자신을 비극으로 몰아갑니다. 출생을 비밀로 간직할 수밖에 없는 비극, 더 나아가 엄마아빠의 존재를 지우려는 비극이 발생합니다. 몸-생김에 대한 올바른 인식이 매우 중요한 이유가 여기에 있습니다. 이를 위한 유일한 방법은 '분석'입니다. 자기 안에서 자기 스스로 이해하는 영원무한의 필연성이 분석이며 리(理)입니다. 이것으로 몸-생김을 이해해야 합니다.

자기 몸-생김에 대한 분석이 분명하지 않으면, 엄마아빠의 사랑을 우연성으로 바라보며, 급기야 '좋음'과 '나쁨'이 섞인 것으로 착각하게 됩니다. 그러나 몸-생김의 선험을 분석으로 이해하면, 영원의 필연성 안에서 몸-생김의 종합은 순수지선으로 이해됩니다. 감각적 현상으로 지각된 엄마아빠의 사랑이 품고 있는 수많은 곡절들은 분석에 의해서 생명과 사랑 안에서 묻고 배워서 이해하게 됩니다. 감각적으로 지각되는 수많은 엄마아빠의 사랑 이야기를 '성리'(性理)와 구분하기 위하여 감정과학은 '성기'(性氣)로 정의합니다. 따라서 우리는 선험종합을 성기(性氣)로 정의할 수 있습니다.

'선험분석(先驗分析): 성리(性理)' X '선험종합(綜合): 성기(性氣)'

영원의 필연성으로 생명과 사랑이 존재합니다. 이 존재가 우리 몸의 생김으로 존재하는 선험(先驗) 또는 성(性)의 진실입니다. 감정과학은 이 진실을 선험분석의 성리(性理)로 정의합니다. 이 진실은 지금 몸으로 살아가고 있는 우리 자신이 자기의 몸에 나아가 생김의 진실인 엄마아빠의 사랑(sex)에 대해서 생각한 결과 자명하게 확인한 진리의 필연성입니다. 이것을 이해하는 방법이 분석(分析) 또는 리(理)입니다. 그렇기 때문에 학문의 기초는 무엇보다도 '성리학'(性理學)입니다. 핵심은 지금 우리 자신의 몸에 나아가 몸-생김에 존재하는 엄마아빠를 감각적 현상이 아닌 그 자체의 본성, 즉 영원의 필연성으로 이해하는 것입니다.

이 이해(性理)가 분명할 때, 몸-생김에 존재하는 엄마아빠의 모든 이야기들(性氣)을 참답게 이해할 수 있습니다. 자식으로 존재하는 우리가 엄마아빠의 잘못을 뉘우치며 용서할 수 있게 되며, 이로부터 우리는 엄마아빠를 원망하거나 저주하기 보다는 뜻밖에 생명과 사랑으로 이해할 수 있게 됩니다. 다른 한편으로 엄마아빠의 생명과 사랑에 대한 참다운 인식을 결여한 자식이 자신의 잘못을 뉘우칠 수도 있습니다. 결국 자기 몸에 고유한 생김의 진실인 성리(性理)가 분명할 때, 자식으로 존재하는 우리는 더 이상 감각적 현상으로 몸-생김을 이해하지 않습니다. 오히려 감각적 현상으로 지각된 몸-생김을 올바르게 배워서 올바르게 이해합니다.

영원의 필연성으로 존재하는 성리(性理)의 진실을 이해함으로써 감각적 현상으로 지각되는 엄마아빠의 사랑 이야기(性氣)를 생명과 사랑 안에서 배우는 학문이 '성리학'(性理學)의 감정과학입니다. 이 학문은 감각적 현상으로 지각되는 엄마아빠의 사랑 이야기를 '성기'(性氣)라고 부릅니다. 따라서 다음과 같은 정의를 제시할 수 있습니다.

① 선험분석(先驗分析) = 성리(性理)
: 몸-생김의 본성인 엄마아빠의 사랑 이야기를 몸 자체의 본성으로 인식함으로써 영원무한의 생명과 사랑을 몸-생김의 선험 그 자체의 진리로 이해한다.

② 선험종합(先驗綜合) = 성기(性氣)

: 몸-생김의 본성인 엄마아빠의 사랑 이야기를 몸 자체의 본성으로 인식하는 것이 아니다. 나의 후험에 앞서는 부모의 후험을 나의 선험으로 간주한다. 그 결과 엄마아빠의 사랑을 공간과 시간의 한계 안에서 감각적으로 지각되는 현상으로 이해한다.

위의 두 정의는 우리에게 선택의 문제가 아닙니다. 선험분석으로서 성리(性理)가 우리 몸-생김에 대한 타당한 인식입니다.

이 인식이 분명할 때, 선험종합으로서 성기(性氣)에 대한 타당한 인식이 확립됩니다. 자식으로 존재하는 우리는 성리(性理) 안에서 성기(性氣)를 묻고 배움으로써 그에 대한 타당한 인식을 형성할 수 있습니다. 이러한 맥락에서 보면, 성리학(性理學)은 추상적인 '관념 철학' 또는 현실을 떠난 '초월 철학'이 아닙니다. 지금 우리 자신의 몸에 나아가 생김(性)에 고유한 본성을 영원의 필연성(理)으로 인식함으로써 영원무한의 생명과 사랑을 이해하고, 이 이해에 기초하여 엄마아빠(性)의 사랑 이야기(氣)를 올바르게 배우는 학문입니다. 이 학문을 연마함으로써 우리는 자기 몸의 생김을 생명과 사랑으로 이해하며, 그와 함께 자신의 존재를 최고의 완전성으로 축복하게 됩니다.

정리학(情理學): 리발기수(理發氣隨)

우리는 몸으로 생겨나고 몸으로 살아갑니다. 이 사실로부터 우리 자신에 대한 타당한 이해는 몸에 대한 이해입니다. 몸의 진실은 '생김으로 놀이', 즉 '생겨난 대로 놀이한다.'입니다. 이 진실에 근거하여 몸에 대한 이해를 생김과 놀이로 나누어 할 수 있습니다. 이미 앞에서 정의한 바와 같이, 몸-생김을 선험(先驗)의 성(性)이라 합니다. 이것을 이해하는 방법은 분석의 '리'(理)와 종합의 '기'(氣)가 있지만, 올바른 방법은 리(理)입니다. 이 방법으로 선험의 성(性)을 이해할 때, 그때 비로소 우리는 선험의 기(氣)를 생명과 사랑 안에서 올바르게 이해할 수 있습니다.

선험의 성(性)을 리(理)로 인식함으로써 그것의 기(氣)를 이해할 수 있다는 논리적 필연성을 다음과 같이 요약할 수 있습니다.

<u>[성(性)]리발(理發)-[성(性)]기수(氣隨)</u>

몸-생김의 선험(先驗)을 우리가 성(性)으로 정의할 때, 그에 대한 인식을 분석의 리(理)와 종합의 기(氣)로 나눌 수 있습니다. 이때 인식의 순서는 반드시 '리발기수'(理發氣隨)입니다. 이러한 인식의 순서가 분명하지 않으면 성리(性理)에 대한 인식에 어둡게 됩니다. 오직 감각적 현상인 성기(性氣)만으로 성(性)을 이해하게 됩니다. 내 몸의 생김으로 존재하는 엄마아빠의 사랑(sex)에 고유한 본성의 필연성인 영원무한의 생명과 사랑인 성리(性理)를 이해하지 못하면, 엄마아빠의 사랑은 공간과 시간의 한계 안에서 감각적으로 지각되는 현상(氣)적 사건(性)으로 잘못 이해됩니다. 이것은 성리학(性理學)이 추구하는 인식이 아니며, 또한 그 자체로 성(性)에 대한 참다운 인식이 아닙니다.

이제 우리는 선험분석으로서 성리(性理)에 대한 인식이 분명할 때, 선험종합으로서 성기(性氣)에 대한 타당한 이해가 정립된다는 사실을 확인할 수 있습니다. 이 사실에 근거하여 성리학의 다음과 같은 명제를 다시 봅시다.

성발위정(性發爲情)

방금 전에 우리는 성(性)에 대한 인식을 성리(性理)와 성기(性氣)로 나눈 다음, 이 둘 사이의 인식의 논리적 순서를 '리발기수'(理發氣隨)로 확인했습니다. 그렇다면 당연히 몸-놀이의 후험(後驗)인 정(情)에 대해서도 분석의 리(理)와 종합의 기(氣)라는 서로 다른 두 가지 인식이 성립한다는 결론이 영원의 필연성으로 연역됩니다. 왜냐하면 성(性)에 대한 인식을 리(理)와 기(氣)로 나눌 수 있다면, 성발위정(性發爲情)에 근거하여 정(情)에 대한 인식에 있어서도 리(理)와 기(氣)로 나눌 수 있기 때문입니다. 이는 우리가 얼마든지 감정을 감각적 현상으로 지각하며 해석할 수 있지만, 정반대로 얼마든지 그 자체에 고유한 본성의 필연성으로 이해할 수 있다는 것을 뜻합니다.

성리학(性理學)의 논리에 입각하여 생각해 보면, 이 결론은 지극히 당연한 것입니다. 몸-생김의 영원한 필연성이 영원무한의 생명과 사랑으로 분명하다면, '생김의 몸으로 놀이한다.'는 성리학의 공리인 성발위정(性發爲情)으로부터 생김의 진실로서 영원무한의 생명과 사랑은 당연히 몸-놀이의 진실로 존재합니다. 이는 기하학적 질서의 필연성 안에 있습니다. 삼각형의 본성을 따라서 우리가 삼각형을 그리는 것과 같은 이치로, 몸-생김의 본성을 따라서 몸-놀이가 이루어지는 것은 지극히 당연한 진리의 필연성입니다. 따라서 성리(性理)에 대한 인식이 우리에게 분명하다면, 이것은 정리(情理)에 대한 인식으로 증명됩니다.

이러한 진리의 필연성을 다음과 같이 정리할 수 있습니다.

성리(性理)로부터 정리(情理)의 필연성

성리학(性理學)은 반드시 정리학(情理學)으로 전개됩니다. 학문의 시작은 몸-생김의 진실을 배우는 '성리학'이지만, 그 끝은 몸-놀이의 진실을 배우는 '정리학'입니다. 결국 몸에 대한 타당한 인식이 전부입니다. 우리가 우리 자신의 몸에 나아가 생김의 진실을 '분석'으로 이해하는 한에서 이 진실은 그 즉시 놀이의 본질로 존재한다는 것을 이해합니다. 영원무한의 생명과 사랑 안에서 생겨난 몸이기 때문에 이렇게 생겨난 몸은 영원무한의 생명과 사랑 안에서 놀이합니다. 공간과 시간 속에서 무한한 방식으로 무한한 몸의 변화로서 감정은 영원의 필연성 안에서 생명과 사랑을 본성의 필연성으로 갖습니다.

이 사실을 부정하며 존재하는 감정은 절대적으로 없기 때문에 매 순간 무한히 변화하는 감정을 생명과 사랑의 필연성 안에서 배워서 이해하는 것이 '정리학'(情理學)입니다. 따라서 정리학(情理學)의 논리 또한 성리학(性理學)의 논리와 동일합니다.

[정(情)]리발(理發)-[정(情)]기수(氣隨)

우리는 몸으로 살아갑니다. 이 말은 몸의 무한 변화로 살아간다는 것을 뜻합니다. 우리의 몸은 무한한 방식으로 무한히 변화합니다. 우리 스스로 가슴에 손을 올려보면, 이 사실은 지극히 자명합니다.

그런데 몸의 무한 변화는 '순간 변화'의 무한성으로 이루어져 있으며, 우리는 그 각각의 순간 변화에 대한 개념을 '감정'으로 확인합니다. 우리가 매순간 무한한 방식으로 무한하게 감정을 느끼는 이유가 바로 여기에 있습니다. 감정과학은 이것을 후험(後驗) 또는 '몸-놀이'라고 부릅니다. 감정은 절대적으로 신체적 사건이지, 엄밀히 말해서 마음의 사건의 아니라는 뜻입니다.

우리가 이 사실을 우리 자신의 몸과 감정에 근거하여 명확히 이해할 때, 감정의 무한 생성에 대한 참다운 이해가 무엇인지 감정과학에 근거하여 쉽게 이해할 수 있습니다. 우리는 감정의 무한 생성 및 변화를 공간과 시간의 한계 안에서 감각적으로 지각되는 현상(氣)이나 사건(氣)으로 바라볼 수 있습니다. 그러나 이와 정반대로 우리는 얼마든지 감정을 그 자체에 고유한 본성의 필연성으로 이해할 수 있습니다. 왜냐하면 몸-놀이는 자신에 앞서는 몸-생김에 고유한 본성을 자기 존재의 필연성으로 갖고 있으며, 우리가 몸-생김의 본성을 영원의 필연성 안에서 영원무한의 생명과 사랑으로 확인한 이상 이 진실은 몸-놀이의 본성으로 당연히 존재하기 때문입니다.

성리(性理)로부터 정리(情理)는 필연적입니다. 이 사실로부터 공간과 시간 속에서 무한한 방식으로 무한히 생겨나고 변화하는 감정의 무한성에 대한 타당한 인식이 무엇인지 분명합니다. 무한한 방식으로 무한한 감정은 자신의 생성 및 변화에 관하여 자기 본성의 필연성인 정리(情理)를 영원의 필연성으로 가지고 있습니다. 그렇기 때문에 감정의 무한 변화에 대한 참다운 인식은 매순간에 고유한 본성을 영원의 필연성으로 이해하는 것입니다. 이 이해로부터 모든 감정은 순수지선으로 확인됩니다. 왜냐하면 우리가 어떤 감정에 고유한 본성을 영원의 필연성으로 확인한 이상, 그것의 존재는 절대성 그 자체이기 때문입니다.

다 좋은 세상

지금 우리 자신을 포함하여 자연 안에 존재하는 모든 몸은 성리(性理)를 따라서 존재하는 성기(性氣)에 의해서 생겨나도록 영원의 필연성으로 결정되어 있습니다. 기(氣)는 절대적으로 리(理)를 따라서 존재하며 활동합니다. 그렇기 때문에 성기(性氣)에 의해 생겨난 모든 몸은 궁극적으로 단 하나의 영원성 그 자체인 영원무한의 생명과 사랑인 성리(性理: 엄마아빠의 사랑)에 의해서 생겨났습니다. 순수지선이 아닌 다른 것으로 생겨난 몸은 절대적으로 없습니다. 몸은 '다 좋은 몸'으로 생겨납니다. 이 사실을 배우는 것이 '성리학'입니다.

이 사실로부터 순수지선이 아닌 다른 것으로 놀이하는 몸은 절대적으로 없습니다. 몸에 고유한 영원한 진실입니다. 몸은 무한한 방식으로 무한히 변화하며 그 각각에는 그에 고유한 곡절이 분명히 존재하지만, 그럼에도 불구하고 모든 감정은 자기 존재에 고유한 본성의 필연성으로서 영원무한의 생명과 사랑 안에 존재합니다. 이 사실, 즉 정리(情理) 안에서 정기(情氣)의 곡절을 이해하는 것이 감정에 대한 참다운 이해입니다. 그 결과 다 좋은 감정을 확인합니다. 이 사실을 배우는 것이 '성리학'의 '감정과학'입니다.

그러므로 순수지선으로 생겨난 몸이 순수지선의 감정으로 살아갑니다. 이 진실이 성리학의 감정과학이 이해하는 세상의 진실입니다.

지금 우리의 진실이며 동시에 천지만물에 고유한 진실입니다. 그렇기 때문에 '다 좋은 세상'은 학문의 목적이 절대 아닙니다. 다 좋은 세상은 몸의 생김과 놀이에 고유한 영원한 진실입니다. 따라서 다 좋은 세상은 만드는 것이 아니라 지금 우리 자신의 몸을 비롯해서 자연의 모든 몸에 대해서 타당한 인식을 확립하는 것입니다.

요약: 감정과학의 성리학 장르분석

'성리학'(性理學)의 감정과학은 '선험(性)-분석(理)'에 대한 명석판명의 이해를 확립하는 학문입니다. 지금 자신의 몸에 나아가 몸-생김에 고유한 본성의 필연성을 자기 스스로 자기 안에서 명백하게 이해하는 것입니다. 그 결과 영원의 필연성으로 존재하는 영원무한의 생명과 사랑을 이해하며, 이 존재로부터 지금 자신의 몸이 생겨났다는 사실을 진리의 필연성으로 이해하게 됩니다. 이 이해로부터 우리는 본래부터 최고의 행복 그 자체로 존재합니다.

이 이해가 분명할 때, 성리학은 '정리학'(情理學)으로 직결됩니다. 정리학은 '후험(情)-분석(理)에 대한 명석판명의 이해를 확립하는 학문입니다. 지금 자신의 감정에 나아가 몸-놀이로서 감정의 생김에 고유한 본성의 필연성을 자기 스스로 자기 안에서 명백하게 이해하는 것입니다. 그 결과 영원의 필연성으로 존재하는 영원무한의 생명과 사랑을 이해하며, 이 존재로부터 지금 자신의 감정이 생겨났다는 사실을 진리의 필연성으로 이해하게 됩니다.

퇴계 이황은 『성학십도』의 제6도에서 '성리학의 감정과학'에 고유

한 논리를 다음과 같이 분명하게 정리했습니다. 「서문 1」에서 이미 제시한 원문입니다. 이 원문을 분석하면 다음과 같습니다.

其中圖者, 就氣稟中, 指出本然之性, 不雜乎氣稟而爲言.

子思所謂天命之性,

孟子所謂性善之性,

程子所謂卽理之性,

張子所謂天地之性, 是也.

其言性, 旣如此故, 其發而爲情, 亦皆指其善者而言.

如子思所謂中節之情,

孟子所謂四端之情,

程子所謂何得以不善名之之情,

朱子所謂從性中流出元無不善之情, 是也.

然則, 孟子·子思, 所以只指理言者, 非不備也. 以其並氣而言, 則無以見性之本善故爾. 此中圖之意也.

'其中圖者, 就氣稟中, 指出本然之性, 不雜乎氣稟而爲言.'는 성리(性理)입니다. '其言性, 旣如此故, 其發而爲情, 亦皆指其善者而言.'은 정리(情理)입니다. 합리기(合理氣)의 성(性)에 나아가 본연지성(本然之性)을 이해한다는 것은 성(性) 그 자체의 본성을 이해하는 것입니다. 이 이

해가 '指理言'입니다. 이것이 바로 '선험(性)-분석(理)'입니다. 모든 몸은 순수지선으로 생겨났다는 것을 확인합니다. 그렇기 때문에 성(性)을 선험분석으로 인식한 이상, 정(情)에서도 선험분석으로 인식할 수 있다는 것이 '指其善'입니다. '性之本善'을 확인한 이상, 감정(情)에서도 그와 똑같은 방식으로 이해할 수 있다는 뜻입니다. 성(性)을 분석의 리(理)로 이해할 수 있다면, 당연히 감정(情)에 대해서도 분석의 리(理)로 이해할 수 있다는 것입니다. 그 결과 깨닫게 되는 것은 '다 좋은 세상'입니다.

이상의 논리가 우리가 퇴계의 『성학십도』에 근거하여 깨닫게 되는 '성리학의 감정과학'입니다. 사실상 지금까지 전개된 모든 논의들이 이 학문의 논리에 기초하고 있습니다. 그렇기 때문에 성리학(性理學)은 감정과학으로서 정리학(情理學)이며, 이것은 역으로도 성립합니다. 情理學이 性理學을 이해하는 기초이자 방법입니다. 이 사실이 분명할 때, 성리학을 감정과학으로 확인하는 방법은 감정과학의 논리에 근거하여 성리학을 이해하는 것입니다. 이 이해가 '감정과학의 '성리학 장르' 분석'입니다. 따라서 '성리학'을 감정과학으로 이해하기 위하여 성리학의 장르를 분석할 때, 이를 위한 감정과학의 논리를 다음과 같이 제시할 수 있습니다.

① 성리(性理)
: '선험분석'(性理)의 개념이 분명한가?

② 성리(性理)로부터 정리(情理)
: '후험분석'(情理)의 개념이 분명한가?

③ 성리(性理)에 근거하여 성기(性氣)

: '선험분석'(性理)으로 '선험종합'(性氣)을 이해하는가?

④ 정리(情理)에 근거하여 정리(情氣)

: '후험분석'(情理)으로 '후험종합'(情氣)을 이해하는가?

그러므로 국민대학교 문화교차연구소가 출판하는 『성리학의 감정
과학 연구 총서』는 『성리대전』을 구성하는 송명(宋明) 시대 성리학자
들의 성리(性理) 관련 논의가 과연 감정과학의 논리에 충실한지 여부
를 확인합니다. 이것으로 우리는 성리학을 감정과학으로 증명할 수
있게 됩니다. 이 증명이 지금 우리에게 중요한 이유는 성리학에 대
한 올바른 이해를 제시하기 때문입니다. 성리학은 몸에 대한 타당한
인식에 근거하여 감정에 대한 타당한 인식을 추구하는 학문입니다.
궁극적으로 우리는 성리학에 근거하여 우리 자신의 감정 및 세상 모
든 감정에 대해서 올바르게 배워서 올바르게 이해할 수 있습니다.
생명과 사랑의 축복을 누리는 방법이 여기에 있습니다.

연구총서 시리즈《성리학의 감정과학》은 퇴계 선생님이 『성학십도』에서 제시한 감정과학의 논리에 기초합니다. 감정과학에 의하면 학문의 핵심을 네 가지 장르로 요약할 수 있습니다. 이와 관련된 자세한 설명은 〖서문 2〗에서 충분히 다루었으므로 여기에서는 네 가지 장르의 핵심만을 제시하겠습니다.

성리(性理: 선험분석)	정리(情理: 후험분석)
성기(性氣: 선험종합)	정기(情氣: 후험종합)

감정과학에 근거한 학문의 네 가지 장르를 확인하면, 감정과학의 논리를 쉽게 알 수 있습니다. 그것은 '리발기수'(理發氣隨)입니다. 성(性)에서도 오직 '리발기수'이며, 정(情)에서도 오직 '리발기수'입니다.

그런데 여기에서 우리가 절대 혼동하면 안 되는 것은 '리발기수'는 두 개로 존재하는 것이 아니라는 사실입니다. 선험분석의 성리(性理)가 후험분석의 정리(情理)로 존재하기 때문에 리(理)는 단 하나이며, 그렇기 때문에 리발기수는 단 하나의 리(理)가 성(性)과 정(情)을 일관합니다. 그리고 단 하나의 리(理)는 무한한 방식으로 무한하게 생겨나는 몸의 성기(性氣)와 무한히 생겨나는 몸의 변화로서 감정의 정기(情氣)에 존재합니다. 그렇기 때문에 단 하나의 리(理)는 동시에 무한한 기(氣)에 고유한 필연성으로 존재합니다. 단 하나의 리(理)가

동시에 무한한 리(理)로 존재합니다.

이 주제는 기하학으로 쉽게 이해할 수 있습니다. 가장 간단하게 삼각형을 예로 들어 봅시다. 삼각형은 '세 개의 내각과 그 총합은 180도'를 영원의 필연성으로 갖습니다. 이 본성(理)을 따라서 무한한 방식으로 무한하게 삼각형이 생겨나고 동시에 우리는 이 본성(理)을 따라서 삼각형을 그립니다. 이때 삼각형은 '직각 삼각형'으로 생겨날 수도(그릴 수도) 있고, '이등변 삼각형'으로 생겨날 수도(그릴 수도) 있습니다. 삼각형의 무한 생김과 놀이를 두 개로 예를 들었습니다. 그런데 '직각 삼각형'은 그에 고유한 본성의 필연성이 있으며, '이등변 삼각형'도 그러합니다. 모든 삼각형은 본성의 필연성을 따라서 생겨나고 놀이한다는 사실에서 보면, 필연성은 영원성 그 자체로 단 하나입니다. 그러나 그것은 동시에 무한한 삼각형 각각에 고유한 본성의 필연성으로 무한히 존재합니다. 이것으로 리(理)를 쉽게 이해할 수 있습니다. 리(理)는 단 하나의 영원이면서 동시에 무한입니다.

감정과학이 제시하는 네 가지 장르와 여기에 고유한 논리를 확인하고 나면, 『성리대전』의 많은 주제들을 감정과학으로 정리할 때 가장 중요한 것은 감정과학의 논리에 근거하여 그 각각의 장르를 분석하는 것입니다. 『성리대전』을 구성하는 각각의 주제들에 나아가 네 가지 장르를 확인할 수 있고 그에 기초하여 감정과학의 논리인 '리발기수'를 확인할 수 있다면, 그때 비로소 성리학은 감정과학으로 증명됩니다. 이러한 맥락에서 본 연구 총서의 연구방법은 철두철미 〖 감정과학의 장르분석 〗입니다. 성리(性理)를 논하는 『성리대전』의 작품에 나아가 네 가지 장르를 확인하고, 그것이 과연 감정과학의 논리를 따르는지 여부를 확인하는 것이 연구 방법의 기초입니다.

이 기초가 분명하기 때문에 국민대학교 문화교차연구소의 연구총서《성리학의 감정과학》은 오직 '장르분석'으로『성리대전』을 탐구합니다. 현대 학자들의 기존의 연구 논문이나 연구 서적들은 전혀 고려하지 않습니다. 왜냐하면 그 어떤 연구도 성리학(性理學) 또는『성리대전』을 연구함에 있어서 장르분석에 기초하지 않았기 때문입니다. 현대 학자들의 연구 성과를 무시하는 것이 결코 아닙니다. 오직 이 이유에 근거하여 성리학을 감정과학으로 밝히는 이번 연구는 그들의 논문이나 서적들을 고려하지 않습니다. 다만, 다음과 같은 책과 논문을 참고 문헌으로 제시합니다.

성리학의 감정과학 연구총서
1.『주돈이 태극도설의 감정과학』
2.『주돈이 통서의 감정과학』
3.『장재 서명의 감정과학』

유교문화 감정과학 연구총서
1.『유교문화의 정초 공자의 감정과학』
2.『유교분화의 학분 대학의 감정과학』
3.『유교문화의 미학 중용의 감정과학』

스피노자 윤리학 연구총서
1.『감정으로 존재하는 신』
2.『신의 존재를 증명하는 감정』
3.『욕망의 이성』
4.『감정의 예속과 자유』
5.『신을 향한 지적인 사랑』

연구 논문
- 기하학적 질서에 따라 증명된 思學의 사단지정과 不思不學의 칠자 지정, 한국문화94(kci), 서울대학교 규장각(2021).
- 성학십도 심통성정도의 중도의 장르분석, 퇴계학논집25(kci), 퇴계 학연구원(2019).
- 기하학적 질서에 따라 증명된 퇴계 선생의 경(敬), 퇴계학논집 19(kci), 퇴계학연구원(2016).

국민대학교 문화교차학과 학위 논문
- 박사학위
1. 2023, 유효통, 『감정과학에 기초한 중국 고대 회화 미학의 감정 이해 분석』
2. 2023, 장학, 『감정과학에 기초한 주자와 왕양명의 '격물치지' 이론 연구 분석』
3. 2019, 유영관, 『'自明코칭'의 원리와 『中庸』의 '性, 道, 教'에 대한 나의 이해』
- 석사학위
1. 2023, 왕우가, 『감정과학에 근거한 문화소비 개념 연구』
2. 2022, 유지진, 『공자의 감정과학에 기초한 『시경』 「관저」의 인간 행복 연구』
3. 2022, 부홍리, 『현대 중국 학문의 위기 극복 방법으로서 감정과 학의 「안자호학론」』
4. 2022, 진방, 『감정과학에 근거한 『논어(論語)』의 '빈부' 이해』

끝으로 참고문헌에 관련하여 가장 중요한 것을 말씀드립니다. 연구 총서 시리즈 《성리학의 감정과학》은 '학고방'에서 출판한 『완역

성리대전』의 편집을 따라서 원문과 번역을 인용하였습니다. 그렇기 때문에 본서의 본문에서 『완역 성리대전』의 원문과 번역을 인용을 할 때에는 그 각각에 대한 서지 정보를 생략하였습니다. 주옥같은 번역문 각각을 인용함에 있어서 일일이 각주로 감사의 마음을 표하지 못한 것에 대해서 용서를 미리 구합니다. 『완역 성리대전』을 번역해 주신 선생님들과 이 위대한 번역서를 출판해 주신 학고방 사장님께 깊은 감사 인사를 드리며, 《성리학의 감정과학》 제4권 『정몽』의 감정과학에 대한 장르분석을 시작하겠습니다.

1부. 신에 관하여

1장. 모든 것의 기원으로서 神_신

1. 太和_{태 화}: 모든 몸의 기원

우리는 '몸'을 두 가지 방식으로 이해할 수 있습니다. 하나는 우리에게 지극히 익숙한 방식입니다. 감각적 현상으로 몸을 이해하는 것입니다. 이 경우 몸에 대한 이해는 저마다 서로 다르게 드러납니다. 누구에게 아름다운 몸은 다른 누구에게 전혀 아름답지 않은 몸이 됩니다. 나에게 도움이 되는 몸은 좋은 것이지만, 반대로 나에게 도움이 되지 않을 뿐만 아니라 나의 기분을 나쁘게 하는 몸은 좋지 않은 것입니다. '코로나'를 생각해 보면 쉽게 이해할 수 있습니다. 이처럼 감각만으로 '몸'을 이해하면, 몸에 대한 보편적인 이해를 확보할 수 없습니다. 그 결과 우리는 아름답고 좋은 몸이 존재하지만, 그와 반대로 얼마든지 추하고 나쁜 몸도 존재한다는 생각을 하게 됩니다.

그런데 문제는 이 생각이 그저 생각으로 끝나지 않는다는 점입니다. 자연 안에는 무한한 몸이 무한한 방식으로 교차합니다. 이때 몸에 대한 우리의 이해가 오로지 감각적 현상에만 의존할 경우, 몸의 교차는 뜻밖에 선악(善惡)과 미추(美醜)의 교차로 이해됩니다. 이로부터 몸과 몸의 교차는 전쟁이나 살인 또는 폭력으로 드러나게 됩니다. 예를 들어서 지금 '나'의 몸으로 교차하는 어떤 몸을 악한 것 또는 추한 것으로 이해할 때, 나는 그 악하고 추한 몸을 없애려고 합니다. 이 목적을 달성할 수 없으면 극도의 불안과 슬픔을 느끼게 됩니다. 물론 얼마든지 반대의 경우를 상상할 수 있습니다. '나'의 몸이 다른 몸에게 악하거나 추한 몸으로 이해될 수 있습니다.

이처럼 우리가 감각에 의존하여 몸에 대한 이해를 현상적으로 해석하고 그에 따라서 선악이나 미추를 판단하는 한에서 위와 같은 비극을 피할 수 없습니다. 이 지점에서 우리는 많은 생각을 하게 됩니다. 몸과 몸의 교차가 전쟁이나 살인 등과 같은 비극으로 전개되는 것은 지극히 당연한 것인가? 인간과 인간, 인간과 자연, 그리고 궁극적으로 자연 자체의 진실은 본래부터 전쟁인가? 이 물음에 대한 올바른 답을 구하기 위해서는 무엇보다도 우리 자신의 감정에 집중할 필요가 있습니다. 이 질문에 대한 우리의 감정은 어떻습니까? 당연히 그 누구도 전쟁과 살인에 대해서 행복을 느끼지 않습니다. 우리 모두는 각자 자신의 소중한 생명을 가꾸며, 그것으로 서로 사랑하며 살기를 바랍니다.

이러한 욕망의 진실에 대해서 우리 자신이 동의한다면, 이제부터 우리에게 중요한 것은 방법입니다. 어떻게 하면, 우리는 몸과 몸의 교차를 생명과 사랑으로 즐길 수 있을까요? 최소한 우리는 인간 세상에서만큼은 이 방식으로 살아가기를 바랍니다. 가깝게는 나의 몸을 바라보는 나 자신과 내 몸이 서로 생명과 사랑으로 교차하기를 바랍니다. 이 교차가 아니면 결국 자살이 우리를 기다리고 있습니다. 가족도 마찬가지입니다. 가족 모두가 생명과 사랑으로 교차할 때, 화목한 가정을 이룰 수 있습니다. 가족을 넘어서 한 나라 안에서 수많은 몸이, 그리고 나라와 나라가 교차하는 수많은 몸이 이 방식으로 살아가기를 바랍니다.

몸과 몸의 교차를 전쟁과 살인이 아닌 생명과 사랑으로 인도하는 방법은 무엇일까요? 크게는 두 가지 방법을 생각해 볼 수 있습니다. 하나는 '의지력'입니다. 몸과 몸의 교차는 얼마든지 전쟁과 살인 같은 비극으로 전개될 수 있는 우연성이나 가능성을 품고 있기 때문에 그러한 우연이나 가능이 실현될 것 같은 조짐이 보일 때면 의지력을 발휘함으로써 그것의 실현을 억제하는 것입니다. 그런데 이 방법은 한 가지 치명적인 문제점을 안고 있습니다. 의지력 또한 얼마든지 비극의 실현을 억제할 수 없는 가능성이나 우연성 하에 놓인다는 것입니다. 다음으로 보다 근본적인 문제가 있습니다. 어떻게 하면 의지력을 강하게 할 수 있을까요?

이 물음에 대해서 수많은 해법이 제시될 수 있지만, 결국 근본적인 문제는 해결되지 않습니다. 의지력이 감당해야 하는 몸과 몸의 교차는 무한한 방식으로 무한하기 때문에 제아무리 자기 스스로 자신의 의지력을 강하게 만들어도 그것은 끝내 교차의 무한성 앞에서 무기력합니다. 이 주제는 우리의 일상으로 생각해 보면, 쉽게 이해할 수 있습니다. 우리는 종종 살인이나 폭력 같은 사건을 접할 때, 그에 대한 원인을 '분노조절장애'에 두는 것을 볼 수 있습니다. 악하고 추한 것이 우리를 괴롭힌다고 생각할 때, 우리는 분노를 느낍니다. 이 때 의지력이 분노 등과 같은 감정을 제어하거나 억제하지 못한 결과 비극적인 사건이 발생했다고 설명합니다. 의지력으로 감정을 조절하는 데에 실패했기 때문에 그런 일이 발생했다는 것입니다.

그런데 이러한 설명은 의지력을 옹호하기 위해서 갑자기 모든 문제의 원인을 분노 등과 같은 감정에 둡니다. 의지력이 문제가 아니라 감정 때문에 그 모든 비극이 발생했다는 것입니다. 더 나아가 이 주장에 근거하여 '감정'을 좋은 것과 나쁜 것으로 분류하기 시작하며, 급기야 나쁜 감정을 제거하겠다는 결정을 합니다. 여기에는 크게 두 가지 방법이 동원됩니다. 하나는 우리가 교차할만한 사람과 그렇지 못한 사람을 판단하는 것입니다. 교차해서는 안 되는 사람을 최대한 배제하면, 그런 감정을 피할 수 있다는 것입니다. 이때 갑자기 사람에 대한 해석이 매우 중요하게 등장합니다. 사람은 교차할 가치가 있는 사람과 그렇지 않은 사람으로 구분됩니다.

두 번째 방법은 현대 정신 의학이 주로 사용하는 방법으로서 '약물'을 처방하는 것입니다. 이 약물들은 기본적으로 아무런 감정을 느끼지 않도록 몸을 무력화시키며 그것으로 동시에 정신의 사유를 마비시킵니다. 몸의 활동성을 최대한 낮춤으로써 정신으로 하여금 감정을 느끼지 못하도록 유도합니다. 그런데 여기에는 두 가지 치명적인 약점이 있습니다. 첫째, 병원에 방문하여 약을 처방받을만한 경제력이 없는 경우는 어떻게 됩니까? 둘째, 약의 복용을 어느 순간 멈추게 되면 그 즉시 분노로 인한 극단적인 행동이 분출됩니다. 이로부터 사람의 가치는 다음과 같이 결정됩니다. 병원에 방문할 수 있는 경제력과 감정을 잘 제어할 수 있는 의지력을 가진 사람이 교차할만한 가치가 있는 사람입니다.

이제 우리는 지금까지 전개된 모든 논의가 어디에 기원을 두는지 생각해 볼 필요가 있습니다. 이러한 주장이나 생각은 몸에 대한 이해를 감각적 현상으로 해석하는 것에서 나옵니다. 우리가 이러한 방식으로 몸을 이해하는 한에서 삶의 행복은 경제력과 의지력에 의해서 결정됩니다. 그러나 이 결론은 매우 이상합니다. 몸으로 살아가는 우리의 삶이 경제력과 의지력에 의해서 결정된다는 것으로부터 우리에게 가장 중요한 것은 몸이 아니라 경제력과 의지력이라는 결론이 나옵니다. 갑자기 우리 자신의 몸은 더 이상 소중하지 않습니다. 우리 삶에서 가장 소중한 것은 '돈'입니다. 돈이 우리를 자유롭게 한다는 착각에 빠지는 것입니다. 그러나 우리 스스로 생각해야 합니다. 몸이 없으면 우리 자신의 존재도 없습니다. 몸 보다 더 소중한 것이 있을까요?

지금 우리 자신의 '몸'이 존재하지 않는다면, 무엇보다도 그 어떤 것으로도 우리 자신의 존재를 확인할 수 없습니다. 이로부터 우리는 그 어떤 몸과의 교차도 상상할 수 없습니다. '몸'이 존재하기 때문에 몸과 몸의 교차가 존재합니다. 이때 '몸'에 대한 이해를 감각적 현상으로 해석할 때, 몸과 몸의 교차가 비극으로 전개될 수 있는 우연성과 가능성이 발생합니다. 이러한 맥락을 우리가 이해한다면, 우리는 보다 근본적인 질문을 제기할 수 있습니다. 과연 몸을 이해하는 방법으로 우리에게 주어진 것은 감각적 현상에 의존하는 해석이 전부일까? 다시 강조하지만, 감각적 현상만으로 몸의 가치를 해석하면, 뜻밖에 몸은 더 이상 소중하지 않습니다. 경제력과 의지력이 소중합니다. 몸으로 살아가는 '나'의 존재가 이 둘에 의해서 결정됩니다.

그러나 이 경우 몸에 대한 선악(善惡)과 미추(美醜)의 구분은 여전히 굳건합니다. 그런데 우리는 이 지점에서 또 질문을 해야 합니다. 도대체 누가 '몸'을 선악과 미추로 판단할 수 있는 것일까요? 이 판단을 확보할 수 있는 판단력은 뜻밖에 경제력과 의지력에 비례합니다. 그리고 결국 의지력은 경제력에 종속됩니다. 경제력이 크면 클수록 의지력도 큽니다. 아주 간단한 예로 우리 가운데 A의 경제력이

소위 재벌의 규모라면, 나머지는 A에게 분노를 느끼거나 표출하지 않습니다. A는 자신과 교차할만한 사람을 판단할 수 있으며, A에 의해서 교차할만한 사람으로 판단된 사람들은 그것을 영광으로 여깁니다. 결국 판단력은 경제력입니다.

이 결론에 이르면 왜 현대 문명의 사람들이 그토록 경제적 부(富)에 열광하며 몰입하는지 이해할 수 있습니다. 더 이상 진리가 우리를 자유롭게 하지 않는다고 생각합니다. 경제력이 우리 자신의 자유를 결정한다고 생각합니다. 이 생각은 우리가 몸에 대한 이해를 감각적 현상으로 해석하는 한에서 매우 타당한 것으로 보입니다. 경제력이 없는 의지력은 쓸모없는 것입니다. 의지력은 철저히 경제력에 의존합니다. 경제력에 의해서 몸의 선악(善惡)과 미추(美醜)가 결정됩니다. 쉽게 말해서 자신의 선함과 아름다움은 자신이 처한 경제 수준에 의해서 결정됩니다.

이 결론에서 우리 스스로 우리 자신의 감정에 집중해야 합니다. 과연 이렇게 살아가는 것이 행복한 것일까요? 이때 우리가 오해해서는 안 되는 것이 있습니다. 지금 우리의 논의는 부자를 비난하는 것이 아닙니다. 가난을 행복으로 추구하는 것은 더더욱 아닙니다. 몸으로 살아가는 우리 자신의 존재를 몸이 처한 경제력이나 수준 등에 의해서 선악이나 미추로 해석하는 것이 과연 행복한 것인지 우리 스스로 생각해 보자는 것입니다. 이 생각과 함께 우리 자신이 느끼는 감정은 무엇입니까? '나' 자신의 존재가 경제력에 의해서 좌우된다는 것은 '나'에 대한 세상 사람들의 판단이 나의 경제력에 근거한다는 것입니다.

'나'에게 정말 소중한 친구가 있다고 합시다. 내가 이 친구에게 물었습니다. 너는 왜 나와 친구하니? 이 질문에 대한 친구의 대답이. '너의 돈 때문에 나는 너와 친구한다.'라고 하면 기분이 어떻습니까? 엄밀히 말해서 이 친구는 '나'의 친구가 아니라 '내가 가진 돈'의 친구입니다. 부부도 연인 사이도 마찬가지입니다. 내가 사랑하는 사람에게 물었습니다. 너는 왜 나를 사랑해? 이 물음에 대한 대답으로 '너는 돈이 많은 부자니까 나는 너를 사랑한다.'라는 말을 들으면 기분이 어떻습니까? '나'는 과연 지금 사랑하는 사람을 이전 보다 더 깊게 사랑할 수 있을까요? 이런 질문과 그에 대한 대답을 두고 생각해 보면, 행복이 과연 경제력에 있는지 의심하게 됩니다.

이러한 의심은 두 가지 방식으로 해소됩니다. 하나는 '자포자기'입니다. 자신이 느끼고 있는 불행의 감정을 받아들이는 것입니다. 인간의 행복은 경제력에 의해서 좌우되기 때문에 더더욱 경제적 부의 획득에 몰입합니다. 다른 하나는 '선생님'을 만나보는 것입니다. 지금 우리가 느끼고 있는 의심에 대해서 먼저 생각하고 배움으로써 행복의 방법을 진실로 깨달은 선생님이 과연 있는지 찾는 것입니다. 만약 그런 선생님이 있다면, 우리는 그 선생님의 깨달음이 무엇인지 함께 배워볼 수 있지 않을까요? 그 결과 우리 스스로 행복의 진실이 무엇인지 깨달음과 동시에 최상의 행복을 누릴 수 있다면, 우리는 우리에게 주어진 소중한 인생을 행복으로 가꿀 수 있습니다.

이 선생님이 이번에 우리가 만나보는 북송 시대 성리학자 '장재'(張載, 1020년 ~ 1077년)입니다. 장재는 『정몽』(正夢)에서 다음과 같은 말로 시작합니다.

太和所謂道
태 화 소 위 도

여기에서 우리는 '화'(和)와 '도'(道)에 생각을 집중해야 합니다. 이때 우리는 『중용』(中庸)의 다음 구절을 떠올리게 됩니다.

天命之謂性(천명지위성)

率性之謂道(솔성지위도)

'천명지성'(天命之性)이란, 모든 몸이 자신의 생김에 관하여 영원무한의 생명과 사랑을 본성의 필연성으로 갖는다는 것을 뜻합니다. '성'(性)은 몸의 본성이며, '천명'(天命)은 영원무한의 필연성입니다. 이것은 『논어』「2-4」에 등장하는 공자의 지천명(知天命)에 대한 『중용』의 이해입니다. 공자의 학문은 자기 몸을 배우는 위기지학(爲己之學)입니다. 이 배움의 결과가 '지천명'(知天命)이므로 천명을 이해하는 기초는 당연히 자기의 몸입니다. 이것을 『중용』은 성(性)으로 정의하기 때문에 당연히 이것은 몸의 본성으로 이해해야 합니다. 다음으로 천명(天命)이 구체적으로 무엇인지 이해하는 것이 매우 중요합니다. 이 문제는 감정과학에 근거하여 너무나 쉽게 해결됩니다. 우리 자신이 우리 자신의 몸에 나아가 본성을 생각해 보면, 엄마아빠의 생명과 사랑인데, 이것은 영원무한입니다. 따라서 天命은 내 몸에 고유한 본성으로서 영원무한의 생명과 사랑이라는 결론이 나옵니다. [이와 관련된 자세한 논의는 『중용의 감정과학』을 참조.]

이 결론으로부터 모든 몸은 자기 본성인 영원무한의 생명과 사랑만을 따라서 존재하고 활동한다는 결론이 나옵니다. 왜냐하면 몸의 생김에 고유한 본성이 이미 영원무한의 생명과 사랑으로 결정되어 있다면, 이 사실로부터 몸의 놀이 또한 생김에 고유한 본성을 따르도록 영원의 필연성으로 결정되어 있기 때문입니다. 마치 삼각형의 본성으로 삼각형을 그리는 놀이가 이루어지는 것과 같은 이치입니다. 이 사실이 '솔성지도'(率性之道)입니다. 그런데 지금까지 전개된 논의에 근거하여 보면, 천명지성과 솔성지도는 우리가 전혀 생각해 보지 못한 것입니다. 모든 몸은 영원의 필연성 안에서 생명과 사랑으로 생겨났으며, 그렇기 때문에 그 모든 몸은 오직 영원의 필연성 안에서 생명과 사랑으로 활동합니다. 우리가 몸의 '감각적 현상'에 의존하여 몸을 해석하는 한에서 우리는 절대적으로 이 말이 뜻하는 바를 이해할 수 없습니다.

그러나 『중용』은 자연 안에 존재하는 모든 몸의 진실을 천명(天命)의 성(性)으로 확인합니다. 우리가 이러한 방식으로 몸을 이해하게 되면, 자연 안에서 무한히 이루어지는 몸과 몸의 교차는 영원무한의 생명과 사랑 안에 있습니다. 동시에 이 진리는 지금 우리 자신의 진실이기도 합니다. 우리가 이 진실을 명백하게 이해하면 감각적 현상으로 몸을 이해함으로써 파급되어 나오는 비참한 비극은 본래 없는 것입니다. 그렇기 때문에 영원무한의 생명과 사랑으로 몸을 이해하고, 동시에 몸과 몸의 교차를 이해하는 이 인식을 우리는 감각적 현상에 의존함으로써 형성하는 현상해석과 반드시 구분해야 합니다. 감정과학은 이 이해를 '물자체' 인식 또는 '선험분석'으로 정의합니다.

물자체(物自體)는 몸이 본래부터 자기 안에 가지고 있는 자기 존재의 진실입니다. 본래부터 존재하는 진실이기 때문에 이 진실은 경험에 앞서는 선험(先驗)이며, 동시에 이 진실은 몸 안에 존재하기 때문에 이에 대한 인식은 겉모습을 해석하는 것이 아닌 그 속을 이해하는 것입니다. 물자체의 선험에 대한 인식이 분석(分析)인 이유입니다. 몸의 겉모습에 나아가 그 속에 내재된 본성의 필연성을 보는 것이므로 몸에 대한 이해를 겉과 속으로 나누어야 합니다[分析]. 따라서 우리는 몸에 대한 이해를 두 가지 방식으로 나눌 때, 그 나머지 방식이 무엇인지 확인할 수 있습니다.

① 몸을 감각적 현상으로 해석하는 것
② 몸을 물자체의 선험분석으로 이해하는 것

몸을 물자체의 선험분석으로 이해하는 것은 몸을 감각적 현상으로 해석하는 것과 완전히 다릅니다. 인식의 대상은 '몸'이 분명합니다. 그런데 그에 대한 내용은 서로 완전히 다릅니다. 이미 앞에서 충분히 논의한 바와 같이 몸에 대한 이해를 감각적 현상으로 해석할 경우 우리의 정신은 몸에 대한 선악(善惡)과 미추(美醜) 판단에 갇히게 됩니다. 그러나 몸을 물자체의 선험분석으로 이해하면, 모든 몸은 영원무한의 생명과 사랑 안에서 생겨나서 오직 생명과 사랑만으로 교차합니다. 우리의 정신은 몸에 대한 이해를 선악이 아닌 순수지선으로 그리고 미추가 아닌 최고의 아름다움으로 형성합니다. 장재는 이 진실을 '태화'(太和)라고 정의합니다. 모든 몸은 절대적인 영원성으로 순수지선의 아름다움으로 존재하고 활동한다는 것입니다.

우리가 이러한 방식으로 몸을 이해할 때, 비로소 우리는 몸의 감각적인 현상에 대해서 올바르게 이해할 수 있습니다. 우리가 몸을 감각적 현상으로 이해한다는 것은 몸에 대한 우리의 경험입니다. 이것을 후험(後驗)이라 합니다. 이때 우리는 선후(先後)의 논리에 입각하여 몸에 대한 선험이 몸에 대한 후험에 '앞선다'는 것을 알 수 있습니다. 이 논리에 근거하여 몸에 대한 이해 또한 선험으로 시작하는 것이 맞습니다. 그런데 선험은 분석으로 이해하는 것입니다. 따라서 선험분석에 근거하여 몸 자체의 진실로서 순수지선의 아름다움을 이해할 때, 우리는 몸에 대한 후험을 감각적 현상이 아닌 선험분석에 기초할 수 있습니다. 이 이해가 후험분석입니다.

이 말은 우리가 경험하는 모든 몸을 감각적 현상에 의존하는 것이 아니라 그 모든 몸에 고유한 진실로서 순수지선의 아름다움에 대한 믿음 안에서 몸에 대한 경험을 배워서 이해한다는 뜻입니다. 이처럼 우리가 믿음 안에서 학문을 연마할 때, 몸에 대한 선악(善惡)과 미추(美醜)의 판단은 몸의 순수지선을 배워서 이해하기 위한 기초자료입니다. 모든 몸에 대한 우리의 믿음은 순수지선의 아름다움으로 확고부동입니다. 이 믿음이 분명할 때, 우리는 무슨 이유로 어떤 몸에 대해서 나쁜 것 또는 추한 것으로 판단하는지 그 이유를 반드시 묻고 배워서 이해합니다. 그 결과 모든 몸의 순수지선과 아름다움을 확인할 수 있게 됩니다. 영원의 필연성 안에 나쁜 것 또는 추한 것으로 판단한 것이 존재합니다.

우리가 이렇게 선험분석의 물자체에 근거하여 몸에 대한 경험을 배울 때, 우리의 삶은 절대적으로 전쟁과 살인으로 왜곡되지 않습니다. 이 지점에서 우리는 그토록 찾았던 문제 해결의 방법을 발견하게 됩니다. 행복을 위한 참된 방법은 경제력이나 의지력에 있지 않습니다. 선험분석의 물자체로서 몸에 고유한 본성의 필연성을 우리가 이해하면, 이 이해로부터 우리는 절대적으로 생명과 사랑을 나누는 축복을 누리게 됩니다. 여기에는 그 어떤 우연성이나 가능성이 없습니다. 오직 영원의 필연성만이 존재합니다. 그런데 다음과 같은 질문을 상상할 수 있습니다. 선험분석의 물자체 인식은 어떻게 우리가 형성할 수 있는가?

몸에 대한 이해를 감각적 현상으로 형성하는 것은 지극히 쉽습니다. 눈으로 보고 손으로 만져보면 그 즉시 알 수 있습니다. 그러나 아직 우리에게 익숙하지 않아서 그렇지 사실은 이보다 더 쉽게 이해할 수 있는 것이 '물자체' 인식입니다. 빛이 자신의 빛으로 자기 존재를 증명하는 것과 같이, 생각은 자신의 생각으로 자신의 존재를 증명합니다. 즉, 우리 스스로 '나는 생각한다.'라고 생각한다면, 이 생각이 우리의 마음이 존재한다는 사실을 증명합니다. 우리 자신의 생각으로 우리 자신의 몸에 대해서 생각해 보면, 그 즉시 이해하게 되는 자기 몸의 진리가 '물자체' 인식입니다. 다음과 같은 방식으로 생각하면 쉽게 이해할 수 있습니다.

원인과 결과의 필연성에 근거하여 결과의 존재는 원인의 존재를 증명합니다. 자기의 몸이 존재한다는 것은 자기 몸을 존재하게 한 원인으로서 몸이 존재한다는 사실을 증명합니다. 그 원인의 몸 또한 자기 존재를 결정한 원인으로서 몸이 존재한다는 사실을 증명합니다. 이렇게 원인과 결과의 필연성을 생각하면, 생각은 자기 안에서 '원인으로 존재하는 몸'이 존재한다는 사실을 영원의 필연성으로 이해합니다. 영원의 필연성으로 존재하는 몸이 진실로 존재하며, 이 존재에 의해서 지금 '나'의 몸이 생겨났습니다. 이 사실을 이해하는 것이 영원무한의 생명과 사랑입니다. 생명이 생명을 낳으며, 이 낳음은 사랑이기 때문에 영원무한의 생명과 사랑의 몸이 진실로 존재합니다.

영원무한의 생명과 사랑의 몸이 진실로 존재하며, 이 몸에 의해서 지금 '나'의 몸을 비롯해서 몸으로 존재하는 모든 것이 생겨났습니다. 이 사실로부터 자연 안에 존재하는 모든 몸은 영원무한의 생명과 사랑을 본성으로 갖습니다. 우리가 감각적으로 확인하는 모든 몸은 영원무한의 생명과 사랑에 의해서 생겨나고 활동합니다. 이 사실을 이해하는 방법은 몸에 대한 감각적 현상에 의존하는 것이 아니라 생각이 자기 몸의 진실을 최고의 완전성 그 자체인 자기이해 안에서 자명하게 이해하는 것입니다. 우리는 감각에 의존하여 몸의 현상으로 몸을 해석할 수 있지만, 우리는 생각의 자기이해에 근거하여 몸의 현상을 영원무한의 생명과 사랑으로 분명하게 이해할 수 있습니다.

그런데 몸의 현상으로 몸을 해석하는 것은 후험으로 선험을 이해하는 것이라서 논리적으로 모순입니다. 이 모순으로 인해 우리는 몸을 선악(善惡)이나 미추(美醜)로 판단합니다. 더 나아가 전쟁이나 살인을 저지르는 비극에 처하게 되는데, 도대체 무슨 이유로 우리는 몸을 이러한 방식으로 이해하는 것일까요? 반면, 감각적 현상으로 분명한 몸을 그 자체에 고유한 물자체의 선험분석으로 이해하는 것은 선험으로 후험을 이해하는 것이라서 논리적으로 바른 것입니다. 이 이해를 통해서 우리는 영원무한의 생명과 사랑을 향한 믿음 안에서 몸의 무한한 현상을 생명과 사랑으로 배워서 이해합니다. 몸의 현상을 해석하지 않습니다. 그 결과 모든 몸의 현상을 순수지선의 아름다움으로 이해합니다. 이것이 행복의 참된 방법입니다.

자연 안에는 무한한 몸이 무한한 방식으로 생겨나고 활동합니다. 몸과 몸의 교차가 무한히 이루어집니다. 그러나 이 모든 현상은 영원무한의 생명과 사랑 안에 있습니다. 영원무한은 '단 하나'입니다. 영원무한은 자기 밖에 어떤 것의 존재를 용납하지 않습니다. 오직 단 하나로 존재하기 때문에 영원무한이며, 그 반대도 마찬가지입니다. 그렇기 때문에 영원무한의 생명과 사랑은 단 하나의 생명과 사랑입니다. 이것을 '실체'(實體)라고 부르며, 이 존재의 완전성을 강조하기 위하여 우리는 이것을 '신'(神)이라고 부릅니다. 영원무한의 생명과 사랑은 단 하나의 실체로 존재하는 신이며, 이 신은 모든 몸에 고유한 본성의 필연성으로 존재합니다.

우리가 감각적 현상으로 지각한 모든 몸은 자기 안에 영원무한의 생명과 사랑을 존재에 고유한 본성의 필연성으로 갖습니다. 동시에 이 진실은 자연을 구성하는 모든 몸에 고유한 영원한 진실이며, 이 사실로부터 영원무한의 생명과 사랑은 자연 자체의 진실이라는 결론이 나옵니다. 이 진실은 눈이나 손 같은 감각 기관으로 이해할 수 없습니다. 자기 정신의 사유에 근거하여 자기 정신이 자기 스스로 자명(自明)하게 이해하는 것입니다. 오직 이 이해만으로 몸을 감각적 현상이 아닌 그 자체인 물자체의 선험분석을 확인합니다. 그렇기 때문에 단 하나의 실체로서 신(神)에 의해서 생겨난 자연의 모든 몸은 무한한 현상으로 드러나며, 이것을 기(氣)라고 정의합니다.

이상의 논의를 토대로 장재의 글을 분석하겠습니다.

[5-1-1 『완역 성리대전』]

太和所謂道, … 散殊而可象爲氣, 淸通而不可象爲神. … 語道者知此, 謂之知道; 學『易』者見此, 謂之見『易』. 不如是, 雖周公才美, 其智不足稱也已.

태화란 이른바 도이니, … 흩어지고 달라져 형상화할 수 있는 것은 기(氣)가 되고, 맑고 통하여 형상화할 수 없는 것은 신(神)이 된다. … 도를 말하는 자가 이것을 안다면 도를 안다고 하고, 『역(易)』을 배우는 자가 이것을 보면 『역(易)』을 본다고 한다. 이와 같지 않으면 비록 주공의 재능과 아름다움을 가졌더라도, 그 지혜는 일컫기에 부족하다.

"흩어지고 달라져 형상화할 수 있는 것은 기(氣)가 되고, 맑고 통하여 형상화할 수 없는 것은 신(神)이 된다."라고 했습니다. 몸의 현상은 기(氣)입니다. 다음으로 신(神)에 대한 정의를 살펴보겠습니다. 정의 가운데 일부분인 '맑고 통한다.'는 것이 매우 중요합니다. 서로 다른 몸은 현상에서 보면 무한히 다르지만 그럼에도 불구하고 서로 통한다고 합니다. 서로 다른 몸의 현상에 보편적으로 통하는 것이 '신'이며, 그러한 한에서 '신'은 감각적 현상으로 존재하는 것이 아님이 분명합니다. 그런데 조금 전에 모든 몸의 현상에 통하는 것으로서 영원무한의 생명과 사랑으로 존재하는 단 하나의 실체를 '신'(神)으로 정의했습니다. 따라서 우리는 장재의 『서명』에서 기(氣)와 신(神)에 대한 개념을 다음과 같이 정의할 수 있습니다.

① 기(氣): 몸의 현상.
② 신(神): 몸의 물자체 진실로서 선험분석.

끝으로 우리가 확인해야 하는 것은 "도를 말하는 자가 이것을 안다면 도를 안다고 하고, 『역(易)』을 배우는 자가 이것을 보면 『역(易)』을 본다고 한다."라고 한 부분입니다. 이를 근거로 우리는 장재가 몸을 감각적 현상으로 이해하지 않는다는 것을 확인할 수 있습니다. 몸에 대한 올바른 이해는 물자체 인식이며, 이 인식은 사실상 '신'에 대한 인식입니다. 그런데 장재에게 신은 몸을 초월한 존재가 아닙니다. 지금 '나'의 몸에 고유한 본성이며, 동시에 자연 전체의 본성입니다. 이렇게 자기 스스로 자기 몸의 진실을 물자체의 선험분석으로 형성하고, 더 나아가 자연 전체를 자기 몸에 대한 이해와 동일한 방식으로 이해할 때, 이 이해가 진리에 대한 올바른 인식입니다. 이 인식이 분명할 때 감각적 현상으로 드러나는 몸의 무한성이 영원의 필연성으로 순수지선 안에 존재한다는 사실을 이해하게 됩니다.

2. 太虛: 神의 몸

우리는 우리 자신의 몸을 비롯하여 자연의 모든 몸을 두 가지 방식으로 이해할 수 있습니다. 이 경우 가장 중요한 것은 지금 우리 자신의 몸입니다. '나' 스스로 이해하는 내 몸의 진실이 무엇인지 이해할 때, 자연의 모든 몸에 대해서 타당하게 이해할 수 있게 됩니다. 내 몸의 진실을 다음과 같이 요약할 수 있습니다.

① 기(氣)로서 내 몸
: 내 몸은 공간과 시간의 한계 안에서 감각적으로 지각된다. 이 경우 내 몸의 무한 변화는 생로병사 또는 희로애락의 현상으로 드러난다.

② 태화(太和)로서 내 몸
: 내 몸은 영원의 필연성 안에서 영원무한의 생명과 사랑이며, 자연

의 모든 몸과 본래 하나의 몸으로 존재한다.

지금 '나'의 몸을 기(氣)로 이해하는 것은 지극히 쉽지만, 태화(太和)로 이해하는 것은 지극히 어렵습니다. 사실상 지극히 쉬운 것이지만, 칸트 철학 위에 세워진 현대 학문으로 인해 우리는 이 인식을 매우 어려운 것으로 간주합니다. 그러나 생각하는 우리의 정신이 자신의 사유에 근거하여 자기 몸에 대한 이해를 자명하게 형성하는 한에서 이 이해는 완전한 능동이며, 오직 이 사실로부터 자기이해는 최고의 완전성 그 자체입니다. 자기이해의 완전성으로 자기 몸에 대한 이해를 감각적 현상이 아닌 물자체로 인식할 때, 이 인식으로 확인하는 자기 몸의 진실은 최고의 완전성 안에 있습니다. 자기는 자기 사유의 완전성으로 확인한 자기 몸의 진실을 믿어야 합니다.

내가 내 몸의 진실을 영원무한의 생명과 사랑으로 확인하면, 내 몸은 사사로운 것이 아닙니다. 앞에서 언급한 바와 같이 지금 나의 몸은 자연 전체와 하나의 몸이며, 구체적으로 말해서 자연을 구성하는 모든 몸과 본래 하나입니다. 이때 비로소 '나'는 지금 존재하고 있는 자기 몸이 본래부터 '신의 몸'으로 존재하고 있다는 거룩하고 성스러운 진실을 확인하게 됩니다. 자기 몸을 감각적 현상으로 바라보면 절대 알 수 없는 자기 본래의 진실입니다. 이 진실이 공간과 시간의 한계 안에서 감각적으로 지각되는 자기 몸의 본래 모습입니다. 자기 스스로 자기 몸의 진실을 이해할 때, 자기는 자기 몸의 감각적 현상을 태화(太和)로 배워서 이해할 수 있습니다.

자기 몸의 본래 모습을 장재는 '태허'(太虛)라고 정의합니다.

[5-1-2 『완역 성리대전』]

'太虛'無形, 氣之本體. 其聚其散, 變化之客形爾. 至靜無感, 性之淵源; 有識有知, 物交之客感爾. 客感客形, 與無感無形, 惟'盡性'者一之.

'태허[太虛]'는 형체가 없는 것으로 기(氣)의 본래 모습이다. 그것이 모이거나 흩어지는 것은 변화의 일시적인 모습일 뿐이다. 지극히 고요하여 감(感)이 없는 것은 성(性)의 근원이고, 식별이 있고 앎이 있는 것은 사물이 교류하는 데서 나타나는 일시적인 감응일 뿐이다. 일시적인 감응과 일시적인 모습 및 감(感) 없음과 모습 없음은 오직 '성(性)을 다하는' 사람이라야 하나로 꿸 수 있다.

"'태허[太虛]'는 형체가 없는 것으로 기(氣)의 본래 모습이다."라고 말했습니다. 형체가 없다는 것은 형체를 초월해서 존재한다는 뜻이 절대 아닙니다. '기(氣)의 본래 모습'이라고 했습니다. 태허는 기(氣)를 결코 떠날 수 없습니다. 감각적 현상으로 지각되는 기(氣)의 본래 모습을 태허(太虛)라고 정의한다면, 이것은 기 자체의 진실로서 물자체(物自體)입니다. 물자체는 "지극히 고요하여 감(感)이 없는 것"입니다. 감각의 대상이 아니라는 뜻입니다. 이것을 '성'(性)으로 정의합니다. 그렇기 때문에 '物自體 = 性 = 太虛'라는 공식이 성립합니다. 이것이 자기 스스로 변화함으로써 구체적인 형상(氣)으로 드러납니다. "그것이 모이거나 흩어지는 것은 변화의 일시적인 모습일 뿐이다."라고 말한 이유입니다. "식별이 있고 앎이 있는 것"이란, 기(氣)의 감각적 현상에 대한 지각입니다. 이것을 "사물이 교류하는 데서 나타나는 일시적인 감응"이라 합니다.

다음으로 위의 인용에서 우리는 매우 중요한 결론을 확인할 수 있습니다. "일시적인 감응과 일시적인 모습 및 감(感) 없음과 모습 없음은 오직 '성(性)을 다하는' 사람이라야 하나로 꿸 수 있다."라고 했습니다. 핵심은 '성(性)을 다하는 사람'입니다. '성을 다 한다.'는 것은 물자체 인식을 형성하는 것입니다. 이 인식이 분명할 때, 물자체 인식 안에서 몸의 무한 변화를 태화(太和)로 이해할 수 있습니다. 이러한 논리적 순서를 따라서 자기 몸을 이해하고 자연의 모든 몸을 이해할 때, 태화 안에서 모든 몸의 변화 및 그 모든 몸의 무한 교차를 순수지선으로 확인할 수 있습니다. 따라서 '하나로 꿸 수 있다.'는 것은 일시적인 모습(氣)을 '형상 없는' 태화(太和) 안에서 이해한다는 것을 뜻합니다.

일시적 모습을 태화 안에서 이해할 때, 감각적으로 지각되는 일시적 모습이 사실상 영원무한의 생명과 사랑이 구체적으로 자신의 모습을 드러낸 성스러운 것임을 깨닫습니다. 몸 그 자체의 진실로서 영원무한의 생명과 사랑의 몸이 태허(太虛)입니다. 감정과학은 이 몸을 실체의 몸 또는 신(神)의 몸으로 이해합니다. 자연 안에 무한한 몸이 존재한다는 것은 원인과 결과의 필연성에 의해서 그에 앞서서 존재하는 몸을 영원의 필연성으로 확인합니다. 결국 본래부터 존재하는 몸은 진리의 필연성 안에 존재합니다. 이 몸을 이해하는 기초가 지금 우리 자신의 몸이며, 자신의 몸에 대한 자기 사유의 자기이해가 진리의 필연성으로 존재하는 몸을 이해합니다. 이 이해로부터 자기 몸의 진실은 영원무한의 생명과 사랑의 몸으로 드러납니다.

자기 몸의 진실을 이해하는 기초는 지금 자기의 몸입니다. 자기 몸에 대한 자기 사유의 자기이해가 영원무한의 생명과 사랑으로 존재하는 태허(太虛)의 몸에 의해서 지금 자기 몸이 존재하도록 결정되었다는 사실을 이해합니다. 그렇다면 태허의 몸은 어디에 존재할까요? 자기 몸에 대한 자기 사유의 자기이해가 태허의 몸이 존재한다는 사실을 확인했으므로 태허의 몸은 자기 몸 안에 영원의 필연성으로 존재합니다. 이 주제가 어려울 수 있지만, 반대로 생각해 보면 쉽게 이해할 수 있습니다. 자기 몸 안에 태허의 몸이 존재하지 않는다면, 태허의 몸은 절대적으로 이해될 수 없습니다. 왜냐하면 태허의 몸은 영원무한의 생명과 사랑이므로 영원무한은 오직 영원무한 자신에 의해서 이해됩니다.

그런데 방금 자기는 자기 몸에서 태허의 몸을 이해했습니다. 동시에 이 이해에 근거하여 태허의 몸을 자기 몸으로 이해했습니다. 이 이해로부터 다음과 같은 결론이 이성의 필연성 안에서 진리의 필연성으로 연역됩니다.

지금 자기의 몸은 영원무한의 생명과 사랑 그 자체인 태허의 몸으로 존재한다.

그러므로 지금까지 전개된 논의의 핵심을 다음과 같이 요약할 수 있습니다.

① 태허(太虛) 또는 신(神)은 존재한다.
② 태허 또는 신은 영원무한의 생명과 사랑의 몸으로 존재한다.
③ 이 몸은 지금 내 몸에 고유한 물자체의 진실이다.
④ 공간과 시간의 한계 안에서 감각적으로 지각되는 나의 몸은 내 몸의 물자체가 구체적인 형상으로 드러난 것이다.
⑤ 내 몸의 진실은 자연을 구성하는 모든 몸의 진실이다.

3. 단 하나의 영원무한

지금 '나'의 몸 자체의 진실로서 '영원무한의 생명과 사랑'에 고유한 본성에 대해서 생각해보겠습니다. 이 본성에 대한 이해는 '원인과 결과의 필연성'에 기초합니다. 그 어떤 우연성이나 가능성은 존재하지 않습니다. 무엇보다도 우리 스스로 생각해 보면 우리 자신이 몸으로 존재하고 있다는 사실은 명명백백합니다. 그 유명한 '나비의 꿈'[胡蝶之夢]은 팔자 좋은 사람들이나 하는 공허한 이야기일 뿐입니다. 우리 스스로 생각해 보면, 우리 자신이 몸으로 존재하고 있다는 사실은 영원의 필연성 자체입니다. 이 사실에 근거하여 몸의 생김에 대해서 생각해 보면, 영원무한의 생명과 사랑의 몸이 지금 내 몸의 진실로 존재한다는 사실은 영원의 필연성입니다.

영원무한의 생명과 사랑의 몸이 진실로 지금 내 몸의 본성으로 존재하며, 이 몸에 의해서 지금 내 몸이 구체적인 형상으로 생겨나고 활동합니다. 이 진실을 어기는 몸의 생김이나 놀이는 절대적으로 없습니다. 왜냐하면 영원무한의 생명과 사랑은 단 하나의 실체이기 때문입니다. 그 어떤 우연성이나 가능성은 없습니다. 영원무한의 생명과 사랑에 의해서 모든 것이 무한하게 생겨나며 무한하게 놀이합니다. 이 사실을 부정하는 몸의 생김이나 놀이는 없습니다. 스피노자는 이 사실을 『윤리학』「1부 정리 15」에서 '모든 것은 신 안에 존재한다.'라고 정리하였습니다. 중국의 중세 시대 성리학자 장재도 이 사실을 다음과 같이 확인합니다.

[5-1-3 『완역 성리대전』]

天地之氣, 雖聚散攻取百塗, 然其爲理也順而不妄. 氣之爲物, 散入無形, 適得吾體; 聚爲有象, 不失吾常. 太虛不能無氣, 氣不能不聚而爲萬物, 萬物不能不散而爲太虛. 循是出入, 是皆不得已而然也. 然則聖人盡道其間, 兼體而不累者, 存神其至矣. 彼語寂滅者, 往而不反; 徇生執有者, 物而不化, 二者雖有間矣, 以言乎失道則均焉.

하늘과 땅의 기는 비록 모이고 흩어지며 물리치고 취하는 작용이 온갖 모습으로 나타나지만, 그 이치는 순하여 제멋대로 하지 않는다. 기라는 것은 흩어져 형체가 없는 상태에 들어가서 마침 자신의 본체를 얻고, 모여 형상을 갖게 되어 자신의 항상성을 잃지 않는다. 태허는 기가 없을 수 없고, 기는 모여 만물이 되지 않을 수 없으며, 만물은 흩어져 태허가 되지 않을 수 없다. 이를 따라 나아가고 들어오는 것은 다 어쩔 수 없이 그러하다. 그렇다면 성인(聖人)은 그 사이에서 도를 다하고 체(體)를 겸하면서도 얽매이지 않는 자이니, 신(神)을 보존함이 지극하다. 저 적멸을 주장하는 자는 가서 돌아오지 않고, 오래 살려고 있음[有]에 집착하는 자는 물(物)이 되어 변화하지 않으니, 둘은 비록 차이가 있지만, 도를 잃은 것으로 말하면 같다.

"하늘과 땅의 기는 비록 모이고 흩어지며 물리치고 취하는 작용이 온갖 모습으로 나타나지만, 그 이치는 순하여 제멋대로 하지 않는다."라고 했습니다. 하늘과 땅의 기는 영원무한의 생명과 사랑의 '몸'으로서 태허(太虛)입니다. 이렇게 이해할 수 있는 근거는 이 기(氣)에 의해서 무한한 형상의 기(氣)가 무한하게 생겨나기 때문입니다. 물론 여기에는 오해의 소지가 있습니다. '하늘과 땅의 기(氣)'라는 표현은 감각적 현상을 내포하기 때문입니다. 그러나 장재는 이 '기'(氣)를 '태허'(太虛)

라고 정의하였습니다. 그리고 우리는 이 주제를 감정과학이 정리한 몸에 대한 완전히 서로 다른 두 가지 이해에 근거하여 보다 쉽게 이해할 수 있습니다. 몸은 감각적 현상이면서 물자체입니다. '몸의 물자체'가 '태허'이며 '하늘과 땅의 기'입니다.

다음으로 "그 이치는 순하여 제멋대로 하지 않는다."라는 부분이 매우 중요합니다. 제멋대로 한다는 것은 우연성과 가능성입니다. 그러나 물자체 또는 태허(하늘과 땅의 기)는 제멋대로 하는 것이 없다고 분명히 했습니다. 영원무한의 필연성을 뜻합니다. 이 본성을 따라서 자연 안의 무한한 몸이 무한하게 생겨나고 활동합니다. 이 사실을 "태허는 기가 없을 수 없고, 기는 모여 만물이 되지 않을 수 없으며, 만물은 흩어져 태허가 되지 않을 수 없다."라고 확인하였습니다. 태허는 '기'가 없을 수 없다는 것은 '신'(神)도 '몸'으로 존재한다는 사실을 확인합니다. '몸' 없이 '마음'으로 존재하는 신은 몸과 마음으로 존재하는 신보다 불완전한 것입니다. 그리고 신의 몸을 감각적 현상으로 이해해서는 절대 안 됩니다. 생각하는 마음이 자기 몸에 대한 자기 사유의 자명 안에서 영원의 필연성으로 확인하는 몸의 진실이 물자체이며 신의 몸입니다.

우리가 이와 같은 방식으로 신의 몸 및 그에 고유한 본성의 필연성을 지금 우리 자신의 몸에 근거하여 이해할 때, 신의 존재가 지금 우리 자신이며 신의 몸이 지금 우리 자신의 몸입니다. 우리가 자기 사유의 자기이해 안에서 자기 몸을 신의 몸으로 이해한다는 것은 사실상 신이 자신의 몸에 대해서 이해하는 것입니다. 이미 충분히 논의한 바와 같이 신에 대한 분명한 이해는 오직 신 자신에 의해서 이루어집니다. 신에게는 자기 존재 밖에 그 어떤 존재도 긍정하지 않으며, 그렇기 때문에 신의 밖에 어떤 것이 있다고 하더라도 그것은 절대적으로 신을 이해할 수 없습니다. 이것은 신의 본성이 '영원무한'이라는 사실로부터 어길 수 없는 진실입니다.

위의 인용에서 장재는 "그렇다면 성인(聖人)은 그 사이에서 도를 다하고 체(體)를 겸하면서도 얽매이지 않는 자이니, 신(神)을 보존함이 지극하다."라고 말했습니다. 신(神)을 보존한다고 했습니다. 자기 몸에 대한 자기이해는 자기 존재를 신의 몸으로 확인합니다. 자기 몸은 영원무한의 생명과 사랑이며, 이 진실로부터 지금 자기의 몸은 자연 전체와 본래 하나의 몸입니다. 신을 보존한다는 것은 이 사실을 이해하는 것입니다. 이 이해가 분명하다는 것은 자기 몸의 생명이 영원무한 그 자체라는 사실을 이해하는 것입니다. 동시에 자기 생명의 진실은 당연히 자연을 구성하는 모든 몸에 공통됩니다. 따라서 영원무한의 생명으로 살아가는 사람은 영원무한의 사랑으로 살아갑니다.

지금 자기 생명의 진실을 장재도 다음과 같이 확인합니다.

[5-1-4 『완역 성리대전』]
聚亦吾體, 散亦吾體. 知死之不亡者, 可與言性矣.

모인 것 또한 나의 몸이고, 흩어진 것 또한 나의 몸이다. 죽어도 없어지지 않는 것을 아는 자라야 성(性)을 말할 수 있다.

"죽어도 없어지지 않는 것을 아는 자라야 성(性)을 말할 수 있다."라고 했습니다. 여기의 '성'(性)이 '성리'(性理)입니다. 몸 그 자체의 진실로서 영원무한의 생명과 사랑입니다. 이 몸은 영원의 필연성으로 생명과 사랑이기 때문에 몸의 현상이 생로병사를 무한히 겪는다고 해도 몸의 진실은 절대적으로 영원무한의 생명과 사랑입니다. 우리가 이러한 방식으로 우리 자신의 몸 및 자연의 모든 몸을 이해할 때, 우리는 그 어떤 이유에서도 생명과 사랑을 어기지 않습니다. 우리 자신의 죽음 앞에서 절망은 없습니다. 죽음은 영원무한의 생명과 사랑이 자신을 즐기는 무한한 변화 가운데 하나입니다. 죽음 앞에 행복한 사람은 삶의 모든 순간을 최상의 행복으로 누리게 되어 있습니다.

이렇게 몸의 생김을 이해할 때, 다음과 같은 장재의 설명을 쉽게 이해할 수 있습니다.

[5-1-20 『완역 성리대전』]

萬物形色, 神之糟粕. "性與天道"云者, 易而已矣. 心所以萬殊者, 感外物爲不一也. "天大無外", 其爲感者, 絪縕二端而已.

만물의 모습은 신의 찌꺼기이다. "성과 천도"라고 말하는 것은 역(易)일 뿐이다. 마음이 만 가지로 달라지는 것은 외물에 감동한 것이 하나가 아니다. "하늘은 커서 바깥이 없는데", 그 감동하는 것은 부비는 둘일 뿐이다.

"만물의 모습은 신의 찌꺼기이다."라고 했습니다. 이 말은 모든 것은 신의 본성인 영원의 필연성 안에서 신의 몸인 영원무한의 생명과 사랑에 의해서 생겨나고 활동한다는 사실을 확인합니다. 마음이 자기 몸에서 이 사실을 확인하는 한에서 마음도 자신의 본성을 영원무한의 생명과 사랑으로 확인합니다. 영원무한이 아닌 것은 영원무한을 인식할 수 없습니다. 이로부터 신은 몸과 마음으로 존재한다는 사실,

그리고 이 각각에 고유한 본성은 신의 존재에 고유한 영원무한의 생명과 사랑이라는 사실이 필연적으로 연역됩니다. 이 사실이 분명할 때, 신의 몸에서 무한한 몸이 무한한 방식으로 생겨나는 것과 같이 신의 마음에서 무한한 마음이 무한한 방식으로 생겨난다는 것을 이해합니다.

이 이해로부터 신에 의해서 생겨난 것은 자신과 동일한 방식으로 산출된 것과 무한히 교차합니다. 신의 본성 안에서 무한한 몸은 무한하게 교차합니다. 이것이 "마음이 만 가지로 달라지는 것은 외물에 감동한 것이 하나가 아니다."라고 말한 까닭입니다. 마음이 만 가지로 갈라진다는 것은 신의 마음 안에 신 자신의 몸에 의해서 산출되는 무한한 몸에 대한 관념이 존재한다는 것이며, 실로 신의 몸에 의해서 무한한 몸이 생성됩니다. 이 각각에 고유한 마음은 자신의 몸에 고유한 마음으로 자연의 무한한 몸과 교차합니다. 이 역시 구체적인 마음이 무한히 달라지는 것입니다. 이 모든 것이 신의 마음 안에 있다는 사실을 잊으면 안 됩니다.

이 사실을 확인하는 것이 "天大無外"입니다. '신'(太虛=天)은 영원무한의 생명과 사랑이기 때문에 단 하나의 실체입니다. 자기 밖에 또 다른 실체는 존재하지 않습니다. 그렇기 때문에 자연 안에 있는 모든 것은 단 하나의 실체로 존재하는 영원무한의 생명과 사랑에 의해서 존재하고 활동하도록 영원의 필연성으로 결정되어 있습니다. 만약 우리가 단 하나의 실체로서 영원무한의 생명과 사랑 이외 다른 실체가 존재한다고 인정하게 되면, 생명과 사랑이 아닌 것으로 존재하는 실체를 인정하는 것이며 이는 실질적으로 자연 안에 어떤 것은 생명과 사랑을 어기도록 생겨나고 활동하도록 결정되었다는 사실을 인정해야 합니다. 이는 '영원무한'을 부정하므로 터무니없는 것입니다.

그러므로 우리가 영원무한의 생명과 사랑을 이해하는 한에서 진실로 존재하는 것은 단 하나의 실체로서 영원무한의 생명과 사랑입니다. 이 존재가 '신'(神)이며 '태허'(太虛)이며 '천'(天)입니다. 그리고 가장 중요한 것은 이 존재가 지금 우리 자신의 몸이라는 사실, 더 나아가 자연 전체의 진실이라는 사실을 확인하는 것입니다. 지금 나의 몸이 영원무한의 생명과 사랑의 몸이며, 지금 나의 몸이 이 몸에 의해서 생겨나고 활동하도록 영원의 필연성으로 결정되었습니다. 이 사실로부터 나는 성스럽고 거룩한 존재입니다. 이 존재를 이해하는 자식이 눈에 보이는 부모에게 감사하는 자식으로 살아갑니다. 최고의 효자가 참된 효자입니다.

2장. 神의 본성

1. 神의 섭리

우리는 땅 위를 살아갑니다. 우리 몸은 땅에서 생겨나고 땅에서 놀이합니다. 이는 자연의 모든 몸에 공통된 진리입니다. 무한한 몸이 땅 위에서 무한한 방식으로 무한하게 생겨나며 놀이합니다. 그러나 땅 위에서 이루어지는 몸의 무한한 생김과 놀이는 절대적으로 물자체의 본성인 영원무한의 생명과 사랑 안에 있습니다. 영원무한의 생명과 사랑으로 존재하는 몸은 눈으로 볼 수 없고 손으로 만져볼 수 없습니다. 그러나 이 몸은 진실로 존재합니다. 사유하는 마음이 자기 몸을 향한 자기 생각 안에서 최고의 완전성으로 이 존재를 확인합니다.

그러나 이 몸은 땅 위에서 볼 수 없습니다. 오직 사유의 자명(自明)만이 땅 위에 있는 모든 몸이 이 몸에 의해서 생겨나고 활동하도록 결정되었다는 사실을 영원의 필연성으로 이해합니다. 땅 위에서는 절대적으로 볼 수도 없고 알 수 없지만, 영원의 필연성으로 영원무한의 생명과 사랑의 몸이 존재합니다. 이 몸은 땅 위에 존재하는 모든 몸으로 자신의 존재를 드러냅니다. 이 사실에 기초하여 이 몸을 땅 위의 무한한 몸과 구분하기 위하여 영원무한의 생명과 사랑으로 존재하는 단 하나의 몸을 하늘의 몸이라고 부릅니다.

이러한 맥락에서 하늘의 몸은 땅과 분리되거나 땅 위의 모든 몸을 초월한 것이 아닙니다. 단 하나의 실체로 존재하는 영원무한의 생명과 사랑의 몸이 땅 위의 모든 몸으로 존재하기 때문에 땅 위의 모든 몸이 단 하나의 실체를 증명할 뿐만 아니라 그 각각의 모든 몸이 단 하나의 실체를 본성으로 갖습니다. 우리가 땅과 하늘에 대한 은유를 위와 같이 확인하면, 땅과 하늘은 절대 떨어지지 않습니다. 그러나 정말 중요한 것은 땅과 하늘의 구분입니다. 이 구분이 분명할 때 땅과 하늘은 절대 분리되지 않습니다. 땅 위의 모든 몸을 순수지선으로 확인하는 유일한 방법이 여기에 있습니다.

이 사실을 장재도 『정몽』에서 다음과 같이 확인합니다.

[5-2-6 『완역 성리대전』]
地, 物也; 天, 神也. 物無踰神之理. 顧有地斯有天, 若其配然爾.

땅은 물(物)이고, 하늘은 신(神)이다. 물(物)이 신(神)을 넘을 리(理)가 없다. 다만 땅이 있어야 하늘이 있으니, 마치 서로 짝이 된 것 같다.

땅은 물(物)입니다. 자연의 모든 몸을 뜻합니다. 그러나 이 모든 몸에 대해서 장재는 "신(神)을 넘을 리(理)가 없다."라고 말합니다. 땅(자연)의 모든 몸은 영원무한의 생명과 사랑의 몸 안에서 생겨나고 활동한다는 것을 뜻합니다. 중요한 것은 신의 섭리(理)를 넘지 않는다는 것입니다. 이를 통해서 우리는 몸에 대한 장재의 이해가 '영원의 필연성'에 기초한다는 것을 확인할 수 있습니다. 이렇게 땅과 하늘을 구분하면 절대적으로 이 둘은 서로 떨어지거나 분리되지 않는다고 조금 전에 밝혔습니다. 장재는 이 사실을 "마치 서로 짝이 된 것 같다."
라고 표현하였습니다.

이하에서는 이상의 논의를 토대로 '신의 섭리'[神之理]에 대한 장
재의 이해를 집중적으로 검토하겠습니다.

[5-3-6 『완역 성리대전』]
天之不測謂神, 神而有常謂天.

하늘을 헤아릴 수 없는 것을 신이라고 하고, 신이면서 일정함이 있
는 것을 하늘이라고 한다.

"하늘을 헤아릴 수 없는 것을 신"이라고 했습니다. 이 말은 절대적
으로 인간의 인식 불가능으로서 '불가지'(不可知)를 뜻하지 않습니다.
이 주제는 이미 앞에서 충분히 논하였습니다. 다만 여기에서 우리는
'헤아릴 수 없는 것으로서 신의 본성'이 무엇인지 생각해 볼 필요가
있습니다. 그런데 이것은 기하학으로 쉽게 이해할 수 있습니다. 우리
가 삼각형의 본성을 '세 개의 내각, 그리고 그 총합은 180도'라고
정의하는 한에서 우리는 이 본성으로부터 얼마나 많은 삼각형을 그
릴 수 있을까요? 이 문제의 정답은 '헤아릴 수 없다.'입니다. 왜냐하
면 삼각형의 본성으로부터 무한한 방식으로 무한한 삼각형이 존재하
기 때문입니다.

자연을 구성하는 몸에 대해서도 같은 방식으로 이해할 수 있습니
다. 자연을 구성하는 모든 몸은 단 하나의 실체로 존재하는 영원무
한의 생명과 사랑의 몸에 의해서 생겨났습니다. 영원무한의 생명과

사랑은 단 하나의 몸으로 존재하지만, 이 몸으로부터 무한한 몸이 무한하게 생겨나며 놀이합니다. 그렇기 때문에 우리는 신의 몸에 의서 얼마나 많은 몸이 생겨나는지 헤아릴 수 없습니다. 이 논점은 자연 안에서 새로운 종(種)의 출현이나 발견으로 쉽게 이해할 수 있습니다. 이 사실은 자연의 몸에 대한 우리의 인식이 헤아릴 수 없음을 반증합니다. 이때 우리는 새로운 종의 몸을 필연성으로 배워서 이해합니다. 이점이 매우 중요합니다.

자연의 몸은 무한한 방식으로 무한하게 생겨나고 놀이하기 때문에 우리는 자연을 구성하는 모든 몸에 대해서 알 수 없습니다. 그러나 우리는 새로운 몸을 만날 때, 그 몸에 고유한 본성의 필연성에 대해서 탐구합니다. 그 결과 새로움 몸을 최고의 완전성과 순수지선의 아름다움으로 이해합니다. 이 이해가 성립하는 이유는 우리의 몸이 사실상 신의 몸과 본래 하나로 존재하기 때문입니다. 영원의 필연성으로 존재하는 신의 몸이 지금 우리 자신의 몸이며, 이 몸으로부터 자연의 모든 몸이 생겨납니다. 이 진리가 분명하기 때문에 우리는 자연의 모든 몸을 영원의 필연성으로, 즉 영원무한의 생명과 사랑으로 배워서 이해할 수 있습니다. 여기에는 그 어떠한 우연성이나 가능성 또는 확률은 없습니다.

이 사실에 기초하여 위에서 제시한 인용문을 다시 보면, "신이면서 일정함이 있는 것을 하늘이라고 한다."는 말이 무엇인지 쉽게 이해할 수 있습니다. 신은 헤아릴 수 없는 것입니다. 그러나 그것은 영원의 필연성으로 존재하며 활동합니다. '일정함이 있는 것을 하늘'이라고 말한 이유입니다. 만약 하늘이 존재하는 것이 분명하더라도 그것의 본성이 서양 중세 신학자 토마스 아퀴나스의 말처럼 우연성이나 가능성이라면, 우리는 절대적으로 신(하늘)을 이해할 수 없습니다. 그러나 그것의 본성이 필연성이라면, 우리는 필연성을 향한 배움을 통해서 그것을 명석판명하게 이해할 수 있습니다. 장재는 하늘(신)에 대해서 분명히 말하기를 '일정함이 있는 것'이라고 했습니다.

눈으로 볼 수 없고 손으로 만져 볼 수 없는 신의 몸이 영원의 필연성으로 존재하며, 이 존재로부터 자연의 모든 몸이 영원의 필연성으로 생겨나고 활동합니다. 이 사실을 장재는 다음과 같이 설명합니다.

[5-3-9 『완역 성리대전』]
"不見而章", 已誠而明也; "不動而變", 神而化也; "無爲而成", "爲物不貳也."

"나타내지 않아도 드러난다."라는 것은 이미 성(誠)이면서 밝음이고, "감동시키지 않아도 변한다."라는 것은 신(神)이면서 변화이며, "작위함이 없어도 이룬다."라는 것은 "물(物)이 되는 것이 둘이 아니다."라는 것이다.

성(誠)에 대한 장재의 정의는 "나타내지 않아도 드러난다."입니다 신의 몸에 고유한 본성을 설명합니다. 신의 섭리란 추상적이거나 인식의 불가지가 아닙니다. 감각으로는 절대 확인할 수 없는 신의 몸이 감각으로 분명한 지금 우리 자신의 몸을 비롯해서 자연의 모든 몸으로 드러납니다. "나타내지 않아도 드러난다."는 뜻입니다. 이 사실이 우리의 인식 안에서 분명할 때 자연의 모든 몸이 신의 몸이 진실로 존재하고 있다는 장엄한 진실을 이해할 수 있습니다. 이것이 신의 섭리입니다. 우리가 이것으로 성(誠)을 정의한다면, '성'은 신의 몸에 고유한 영원의 필연성으로서 신의 섭리 그 자체입니다. 이것은 오직 자기 본성의 필연성으로 존재하며 활동하기 때문에 그 어떤 것에 의해서도 강제되지 않습니다. "감동시키지 않아도 변한다."는 뜻입니다.

신의 변화는 외부 원인에 의해서 강제되는 것이 아니라 오직 자기의 본성인 영원의 필연성에 의해서 존재하며 활동하는 자유입니다. 이것은 신의 몸이 단 하나의 실체로 존재한다는 사실로부터 지극히 당연한 것입니다. 신의 몸 밖에 그 어떤 몸도 존재하지 않기 때문에 그 어떤 것도 신의 몸에 영향을 미칠 수 없습니다. 이 사실로부터 신의 변화는 오직 자기 본성을 영원의 법칙으로 따른다는 사실이 진리의 필연성으로 드러납니다. 이 진리를 장재는 "작위함이 없어도 이룬다."라고 말합니다. 신은 자신의 몸으로 어떤 몸을 만들겠다는 목적의식이 없습니다. 영원의 필연성으로 신의 몸 안에는 신의 몸에 의해서 생겨나는 무한한 몸에 대한 관념이 본래부터 존재합니다.

신의 몸에 의해서 자연의 무한한 몸이 생겨나고 활동합니다. 신의 마음은 이 사실에 대한 이해를 본래부터 자기 안에 가지고 있습니다. 그러한 한에서 신의 몸과 정신에게는 그 어떤 새로움이 없습니다. 헤아릴 수 없는 것은 없습니다. 그러나 우리는 신의 몸에 의해서 생겨난 자연의 무한한 몸 가운데 하나로 존재합니다. 마음도 같은 방식으로 이해해야 합니다. 그렇기 때문에 우리는 우리 자신의 몸으로 자연의 무한한 몸을 무한히 새롭게 교차합니다. 그럼에도 불구하고 우리는 무한 교차를 통해서 만나는 무한히 새로운 몸의 생김과 놀이를 신의 몸에 고유한 영원의 필연성으로 이해합니다. 우리 몸의 진실이 신의 몸이기 때문입니다. 동시에 우리 마음의 진실이기도 합니다. 신의 마음 안에 지금 우리의 마음이 생겨나고 놀이합니다.

2. 形而上과 形而下
형 이 상   형 이 하

신의 몸이 지금 우리의 몸이라고 말할 때, 눈을 떠서 우리 자신의 몸을 보면 이 말을 이해할 수 없습니다. 이 말은 오히려 눈을 감을 때 이해할 수 있습니다. 눈을 감는다는 것은 감각적 현상에 대한 지각을 잠시 멈추고 자기 스스로 생각한다는 뜻을 내포합니다. 그리고 생각한다는 것은 생각이 자기 안에서 자기 스스로 생각함으로써 자기이해를 형성하는 것입니다. 이때 가장 중요한 것은 기하학적 사유에 근거하여 기하학적 질서의 필연성을 따라서 생각하는 것입니다. 기하학적 사유란 사유가 자명한 이해를 형성하는 것입니다. 기하학적 질서의 필연성이란 사유의 자명이 자신의 자명에 입각하여 다시 새로운 자명의 이해를 무한히 전개하는 것을 뜻합니다.

사유가 자기 몸에 대한 이해를 자명 안에서 다시 자명으로 전개해 나아갈 때, 사유는 자기이해를 통해서 자기 몸의 진실을 신의 몸으로 이해합니다. 자기 몸의 진실이 영원무한의 생명과 사랑으로 존재하고 있다는 사실, 그리고 이 사실로부터 지금 자기 몸의 현상이 사실은 영원무한의 생명과 사랑 안에 있다는 사실을 이해합니다. 지금 '나'의 몸은 철두철미 현상으로 지각됩니다. 즉, 공간과 시간의 한계 안에서 지각됩니다. 이 경우 내 몸의 현상은 '남녀노소' 또는

'생로병사' 등과 같은 몸으로 드러납니다. 그러나 이 모든 몸의 현상은 영원무한의 생명과 사랑의 몸 안에 있습니다. 몸의 현상이 늙고 병들어 죽음에 처해도 몸은 절대적으로 생명과 사랑 안에 있습니다.

장재는 이 몸의 진실을 형이상(形而上)이라고 부릅니다. 감각적 현상으로 지각되는 몸의 현상은 본래부터 영원무한의 생명과 사랑 안에 존재한다는 사실을 확인합니다. 상(上)은 절대적으로 형(形)을 떠나지 않습니다. 형(形)'의' 상(上)입니다. 우리는 이 상(上)을 하늘 또는 신으로 이해해야 합니다. 왜냐하면 형(形)은 감각적으로 지각되는 몸의 현상인데, 이 현상을 상하(上下)로 구분한다면 당연히 이때의 상(上)은 땅이 아닌 하늘에 해당합니다. 그렇기 때문에 형이상(形而上)은 감각적 현상으로 존재하는 몸을 그 자체의 고유한 본성인 '물자체'로 인식하는 것입니다. 이 인식은 당연히 앞에서 논한 바와 같이 사유의 자명으로 형성합니다.

그러므로 형이상(形而上)은 신의 몸을 뜻합니다. 반드시 몸(形)으로 존재합니다. 그러나 그 몸은 감각이 아닌 사유의 자기이해(上)로 이해할 수 있습니다. 이 사실을 장재는 다음과 같이 요약합니다.

[5-3-17 『완역 성리대전』]
"形而上者", 得意斯得名, 得名斯得象. 不得名, 非得象者也. 故語道至於 不能象, 則名言亡矣.

"형이상의 것"은 뜻을 얻어야 이름을 얻고, 이름을 얻어야 형상을 얻는다. 이름을 얻지 못하는 것은 형상을 얻지 않은 것이다. 그러므로 도를 말할 때 형상할 수 없는 데에 이르면 이름이 없게 된다.

뜻을 얻는다는 것은 사유의 자명(自明)이 자기이해를 형성한다는 것을 뜻합니다. 이것으로 신의 몸이 존재한다는 사실을 이해할 수 있습니다. 이 이해로부터 우리는 자연의 모든 몸이 신의 몸에 의해서 생겨나고 활동한다는 사실을 이해할 수 있습니다. 장재가 "이름을 얻어야 형상을 얻는다."라고 말한 이유입니다. 따라서 자연의 몸에 대한 올바른 인식은 몸의 감각적 현상에 의존하는 것이 아니라 몸 자체의 인식을 확립하는 것입니다. "그러므로 도를 말할 때 형상할 수 없는 데에 이르면 이름이 없게 된다."라는 것은 형이상(形而上)의 몸을 알 때 모든 형이하(形而下)의 몸을 신의 몸으로 이해하게 된다는 것을 뜻합니다. 이름이 없다는 것은 모든 이름을 자기 안에 품는 것입니다.

3. 天德: 영원무한의 필연성
   천덕

신의 몸 안에 자연의 모든 몸이 생겨나고 활동합니다. 신의 몸이 지금 우리 자신의 몸이면서 동시에 자연 전체의 몸으로 존재하는 이유입니다. 신의 몸이 존재하므로 자연의 몸이 존재합니다. 이 사실을 장재는 천덕(天德)으로 정의합니다. 그렇기 때문에 무엇보다도 '천덕'을 이해하는 것이 자기 몸에 대한 타당한 이해이면서 동시에 자연 전체에 대한 올바른 이해입니다. 그래서 장재는 다음과 같이 말합니다.

[5-3-19 『완역 성리대전』]

有天德, 然後天地之道可一言而盡.

하늘의 덕이 있은 다음에 천지의 도에 대해 한마디로 다 말할 수 있다.

'천지지도'는 우리 자신의 몸을 비롯해서 몸으로 존재하는 모든 것에 대한 이해입니다. 이 모든 몸을 물자체로 이해할 때 우리는 비로소 순수지선이 자연 만물의 진실임을 이해할 수 있습니다. 물자체 인식이 '천덕'(天德)인 이유입니다. 신의 몸은 오직 자기 몸의 본성을 따라서 자연의 몸을 산출합니다. 이 진실이 '천덕'입니다. 그렇기 때문에 이 사실, 즉 물자체를 인식하는 것이 '천덕'입니다. 왜냐하면 이 사실은 오직 천 자신에 의해서 이해되기 때문입니다. 신의 몸이 '천덕'이며, 신의 몸에 의해서 자연의 모든 몸이 산출된다는 신의 자기이해가 '천덕'입니다. 존재와 이해가 서로 다르지 않습니다.

이 인식이 분명할 때 "천지의 도에 대해 한마디로 다 말할 수 있다."고 했습니다. '한마디'는 무엇일까요? 영원의 필연성 안에 존재하는 영원무한의 생명과 사랑입니다. 그래서 장재는 다음과 같이 말합니다.

[5-4-1 『완역 성리대전』]

神, 天德; 化, 天道. 德, 其體; 道, 其用, 一於氣而已.

신(神)은 천덕(天德)이고, 변화는 천도(天道)이다. 덕은 그 체(體)이고, 도는 그 용(用)인데, 기(氣)에서 하나일 뿐이다.

'신'은 '천덕'(天德)입니다. 이 말은 신의 몸이 곧 '천덕'임을 확인합니다. 신의 존재가 따로 없습니다. 영원무한의 생명과 사랑의 몸으로 존재하는 것이 신의 몸입니다. 이 몸으로부터 자연의 모든 몸이 생겨나고 활동합니다. 이처럼 신의 몸이 자기 몸에 고유한 본성인 영원무한의 생명과 사랑을 따라서 영원무한의 생명과 사랑으로 존재하는 몸을 무한하게 낳으면, 그것이 곧 천도(天道)입니다. 그래서 천덕(天德)은 영원성 그 자체인 '체'(體)이며, 천도(天道)는 영원의 무한성으로서 '용'(用)입니다. 그러나 이 둘은 서로 다른 것이 아닙니다. 몸에 대한 서로 다른 '두 가지' 이해입니다. 그래서 체용(體用)에 대해서 "기(氣)에서 하나일 뿐이다."라고 말하였습니다.

그러므로 우리는 신의 본성을 다음과 같이 요약할 수 있습니다.

① 신은 '몸'으로 존재한다.
② 신의 몸은 '영원무한의 생명과 사랑'이다.
③ 신의 몸이 '체'(體)이며, 신은 자기 몸의 본성을 따라서 자기원인으로 변화하며 그 결과 자연의 무한한 몸을 낳는다. 이것이 '용'(用)이다.
④ 신의 몸에 고유한 체용(體用)이 곧 지금 내 몸의 진실이며 동시에 자연의 모든 몸에 고유한 진실이다.
⑤ 그러므로 지금 내 몸에서 신의 몸(體)과 변화(用)을 이해하는 것이 우리 자신에 대한 참다운 인식이며, 자연의 모든 몸을 이러한 방식으로 이해해야 한다.

3장. 神을 향한 지적인 사랑
신

1. 窮神知化: 일상의 성스러움
궁 신 지 화

    신의 몸이 진실로 존재한다는 사실에 대한 인식, 그리고 신의 몸으로부터 자연의 모든 몸이 생겨나고 활동하도록 결정되었다는 사실에 대한 인식, 이 두 인식은 장재에 의해서 인간 정신에 고유한 본질로 이해됩니다.

> [5-4-10 『완역 성리대전』]
> 神化者, 天之良能, 非人能. 故大而位天德, 然後能 "窮神知化."

    신(神)과 화(化)는 하늘의 양능이니, 사람이 할 수 있는 것이 아니다. 그러므로 크게 천덕에 자리한 후에야 "신(神)을 궁구하고 화(化)를 알 수 있다."

    신(神)은 '영원무한의 생명과 사랑의 몸'으로 존재합니다. 과연 이러한 몸이 존재하는 것이냐고 질문할 수 있는데, 이것은 자기 몸에 대한 자기이해 안에서 분명합니다. 자기 몸 그 자체의 진실이 '신'의 몸입니다. 이 주제는 1장에서 충분히 다루었습니다. 다음으로 '화'

(化)는 신의 몸이 자기 몸에 고유한 본성을 따라서 무한한 방식으로 무한하게 몸을 산출하는 것입니다. 이 모든 몸이 자연을 구성하기 때문에 신의 존재가 곧 자연이며 신의 몸이 곧 자연 전체의 몸입니다. 신의 몸에 의해서 자연의 모든 몸이 생겨나고 활동한다는 사실이 신화(神化)입니다. 이것은 당연히 신에 고유한 능력입니다. 이 능력을 장재는 '하늘의 양능'으로 정의합니다. 이 능력이 천덕(天德)이며 동시에 이 능력에 대한 신의 자기이해가 천덕(天德)입니다. 이 인식을 우리의 정신이 자기이해의 자명으로 확인하면, 신화(神化)는 사실상 우리 정신의 진실입니다. 동시에 우리 몸의 진실입니다.

우리가 '신화'(神化)를 우리 자신의 몸에 고유한 생김과 놀이의 진실로 이해할 때, 우리는 최고의 완전성 그 자체인 최고의 행복을 누릴 수 있게 됩니다. 왜냐하면 이 인식을 통해서 우리는 영원무한의 생명과 사랑으로 우리 자신을 확인하기 때문입니다. 신화(神化)를 이해할 때, 지금 자기가 겪는 생로병사를 영원무한의 생명과 사랑으로 안아줄 수 있습니다. 예를 들어서, 지금 자신이 극심한 가난에 처해 있거나 불치의 병에 처해 있어도 자기의 진실은 영원무한의 생명과 사랑 안에 있습니다. 이렇게 자기 스스로 자기 존재의 진실을 이해할 때, 자기는 어떤 조건과 환경에서도 자기 존재의 완전성과 아름다움을 부정하지 않습니다. 이렇게 행복을 누리는 사람이 자기 행복을 보다 더 크게 할 수 있습니다.

이와 같은 방식으로 행복의 진실을 이해하면, 우리에게 가장 중요한 것은 자기 스스로 자기 존재의 진실을 신화(神化)로 확인하는 것입니다. 장재가 "크게 천덕에 자리한 후에야 "신(神)을 궁구하고 화(化)를 알 수 있다."라고 말한 근본 이유입니다. 천덕(天德)에 자리한다는 것은 우리 스스로 자기 진실을 신화(神化)로 이해한다는 사실을 확인합니다. 이 이해가 곧 "신(神)을 궁구하고 화(化)를 알 수 있다."는 것입니다. 천덕을 이해하는 것이 사실상 신(神)을 이해하고 화(化)를 이해하는 '궁신지화'(窮神知化)입니다. 이 둘은 서로 다른 것이 아닙니다. 그럼에도 '천덕'이 '궁신지화' 앞에 있는 것은 자기 존재의 진실에 대한 '자기이해'의 명백함이 가장 중요하기 때문입니다.

자기 몸에 나아가 자기 몸의 진실을 영원무한의 생명과 사랑으로 이해하는 것이 '천덕'입니다. 자신에 대한 '궁신지화'입니다. 이렇게 자기이해가 분명할 때, 자기는 자연의 모든 몸을 영원무한의 생명과 사랑으로 배워서 이해할 수 있습니다. 이것이 자연을 향한 '궁신지화'입니다. 그러나 '천덕' 앞에 '궁신지화'를 두면, 뜻밖에 둘 모두를 놓치게 됩니다. 왜냐하면 자기 스스로 자기 몸의 진실에 어둡다면 자연의 모든 몸에 대해서도 어두울 것이기 때문입니다. 갑자기 궁신지화가 공허하고 추상적인 것이 됩니다. 그렇기 때문에 무엇보다도 지금 자신의 몸에서 신화(神化)를 이해하는 천덕이 가장 중요합니다. 이 이해가 분명할 때, 자연의 모든 몸을 신화로 이해할 수 있습니다.

이 이해를 추구하는 학문이 성리학(性理學)이며 성학(聖學)입니다. 이 학문이 아니면 신의 존재 및 신의 몸에 고유한 본성을 이해할 수 없습니다. 동시에 자신의 몸에 대해서도 참답게 인식할 수 없으며, 이로부터 자연의 몸에 대해서도 타당하게 인식할 수 없습니다. 자연의 진실을 순수지선으로 이해하는 것이 아니라 약육강식의 전쟁으로 이해합니다. 이 이해로부터 인간은 자신이 속한 세상도 전쟁 정신으로 이해합니다. 전쟁의 비극이 발생하는 근본 이유입니다. 그렇기 때문에 자기 몸의 성스러움을 이해함으로써 자연의 성스러움을 이해하는 것이 가장 중요합니다. 이 믿음이 분명할 때, 자연 안에서 무한하게 생겨나고 활동하는 몸을 배울 수 있습니다.

신의 몸이 곧 자연 전체입니다. 신의 몸으로부터 자연의 몸이 무한히 생겨납니다. 그러나 앞에서 논의한 바와 같이 신화(神化)를 우리 자신의 몸에서 이해하고 그에 기초하여 자연을 이해하는 한에서 자연의 진실은 성스러움 그 자체입니다. 영원무한의 생명과 사랑 안에 자연의 모든 몸이 무한하게 생겨나고 활동합니다. 이 사실로부터 자연의 무한한 성스러움에 대해서 지금 우리 자신의 정신은 다 알지 못합니다. 그러나 우리가 우리 자신의 몸에서 신화(神化)를 이해할 때 우리는 비로소 자연의 성스러움에 대한 믿음 안에서 자연의 모든 몸을 성스러움으로 배울 수 있습니다. 그렇기 때문에 이 배움은 절대적으로 의지력에 의존하지 않습니다.

이러한 맥락에서 인식의 실천이 무엇인지 알 수 있습니다. 신화(神化)를 이해하는 인간 정신의 본질이 자기 본성을 따르는 실천입니다. 이 사실을 장재는 다음과 같이 확인합니다.

[5-4-18 『완역 성리대전』]
聖不可知者, 乃天德良能, 立心求之, 則不可得而知之.

성스러워서 알 수 없는 것은 천덕과 양능이니, 마음을 세우고 구하더라도 알 수 없다.

성스러움은 영원무한의 생명과 사랑입니다. 신의 몸에 고유한 진실이며, 동시에 자연 자체의 진실입니다. 단 하나의 실체인 영원무한의 생명과 사랑에 의해서 자연의 몸이 무한히 생겨나고 활동하기 때문에 성(聖)은 우리에게 불가지(不可知)입니다. 만약 이 사실을 부정하면, '성'의 무한성은 그 즉시 부정됩니다. 그러나 영원무한의 생명과 사랑은 자신의 무한성으로 무한히 생명과 사랑을 낳으며 이러한 산출은 영원성 안에 있기 때문에 절대적인 필연성으로 이루어집니다. 그렇기 때문에 천덕을 이해한다는 것은 자기이해를 통해서 자명하게 확인한 자기 몸의 진실에 근거하여 자연의 모든 몸을 영원의 필연성으로 배워서 이해하는 것입니다.

그러므로 장재의 다음과 같은 결론은 지극히 당연한 것입니다.

[5-4-20 『완역 성리대전』]
惟神爲能變化, 以其一天下之動也. '人能知變化之道, 其必知神之爲也.'

오직 신(神)만이 변화할 수 있으므로 세상의 움직임을 하나로 한다. '사람은 변화의 도를 알 수 있으니, 반드시 신이 하는 것을 알아야 한다.'

"반드시 신이 하는 것을 알아야 한다."한다고 했습니다. 이것이 신을 향한 지적인 사랑입니다. 신의 존재 그 자체 및 신으로부터 생겨나는 모든 몸에 대한 이해는 사실상 영원무한의 생명과 사랑을 향한 이해이며, 이 이해로부터 우리는 자신의 생명과 자연의 진실을 생명과 사랑으로 이해합니다. 이 사실로부터 우리가 신을 사랑하는 것은 지극히 당연하며, 신을 사랑하는 것은 실질적으로 신을 이해하는 것입니다. 이 이해로 우리는 우리 자신의 몸이 신화(神化)라는 사실, 더 나아가 자연 전체의 진실이 신화(神化)라는 것을 이해합니다. 신의 존재가 별도로 없습니다. 아침에 일어나 거울을 볼 때 그 속에 있는 '나'의 얼굴이 신의 얼굴입니다. 얼굴을 스치는 바람, 아침에 뜨는 태양, 저녁노을, 하루살이 등 자연 모든 것이 신의 얼굴입니다.

2. 天之生物: 영원 아래에서
   천 지 생 물

우리는 다음과 같은 질문을 할 수 있습니다.

영원무한의 생명과 사랑으로 존재하는 신의 몸에 의해서 자연의 모든 몸이 생겨난다면, 새로운 종(種)의 출현을 우리는 어떻게 이해할 수 있는가?

영원무한의 생명과 사랑이 자신의 본성으로 자연의 모든 몸을 산출한다면, 자연의 모든 몸도 영원무한으로 본래부터 존재해야 합니다. 그런데 우리 모두에게는 각기 서로 다른 생일과 망일이 있습니다. 예를 들어서 지금 나의 몸이 1980년에 태었다면, 그 이전에 나의 몸은 존재하지 않았습니다. 또한 어느 시점에 나의 몸이 죽게 된다면 그 이후에 내 몸은 존재하지 않습니다. 그런데 지금까지 우리는 영원무한의 생명과 사랑의 몸에 의해서 우리 자신의 몸과 자연의 모든 몸이 생겨난다고 정리했습니다. 이 정리에 입각하여 생각해 보면, 내 몸의 생일과 망일을 어떻게 이해할 수 있을지 궁금합니다.

그러나 이 문제의 답은 이미 우리에게 주어졌습니다. 우리는 이

책의 시작을 몸에 대한 서로 다른 두 가지 이해로 시작했습니다. 우리는 지금 우리 자신의 몸을 두 가지 방식으로 이해할 수 있습니다. '몸 그 자체의 진실로서 물자체 인식'과 '몸의 감각적 현상에 대한 지각'이 그것입니다. 이 두 가지 인식에 근거하면, 우리의 질문은 물자체 인식이 아니라 몸의 감각적 현상에 대한 것입니다. 우리 몸을 감각적 현상으로 본다는 것은 공간과 시간의 형식으로 우리 몸을 이해하는 것입니다. 어디에서(공간) 언제(시간) '몸'이 생겨나게 되었는지 그리고 '몸'이 죽게 되었는지 설명하는 것은 몸을 감각적 현상으로 이해하는 것입니다.

이 이해와 완전히 다른 것이 물자체 인식입니다. 이 둘은 절대적으로 섞이지 않습니다. 그럼에도 불구하고 이 두 이해는 지금 나의 몸 안에 있습니다. 내 몸에 대한 물자체 인식은 신의 몸 그 자체에 고유한 영원무한의 생명과 사랑입니다. 이 몸은 영원으로부터 영원에 이르는 영원성 그 자체로 존재합니다. 이 몸이 자기원인으로 변화함으로써 공간과 시간의 형식으로 지각되는 우리 자신의 몸을 비롯해서 자연의 모든 몸을 무한히 산출합니다. 그렇기 때문에 신화(神化)는 선후(先後)를 따릅니다. 바로 이 지점에서 우리는 공간과 시간에 대한 올바른 인식을 형성할 수 있습니다. 공간과 시간은 독립된 실체가 아니라 신화(神化)에 의한 선후를 설명하는 것입니다.

영원의 필연성으로 존재하는 신의 몸이 자기 본성을 따라서 무한한 몸을 산출할 때, 여기에는 선후가 있습니다. 먼저 태어난 것이 있고, 나중에 태어난 것이 있습니다. 먼저(先)와 나중(後)을 설명하는 것이 공간과 시간의 개념입니다. 공간과 시간의 개념은 엄격히 말해서 신화(神化)에서 나옵니다. '신화'의 운동을 공간과 시간으로 이해합니다. 서로 다른 두 개의 인식 사이에 선후의 논리가 존재하는 것도 이 때문입니다. 물자체 인식이 분명할 때, 몸의 감각적 현상에 대해서 올바르게 인식할 수 있습니다. 왜냐하면 몸을 감각적으로 인식한다는 것은 공간과 시간의 한계 안에서 드러나는 현상을 인식한다는 것인데, 이는 사실상 신화(神化)로부터 생겨나는 생김의 선후(先後)를 인식하는 것이기 때문입니다.

장재는 다음과 같이 이 사실을 확인합니다.

[5-5-5 『완역 성리대전』]

生有先後, 所以爲天序; 小大高下相並而相形焉, 是謂天秩. 天之生物也有序, 物之旣形也有秩. 知序然後經正, 知秩然後禮行.

생겨남에는 앞과 뒤가 있기 때문에 하늘의 순서가 되는 것이고, 작음과 큼 및 높음과 낮음이 서로 아우르면서 서로 형상을 이루니, 이것을 하늘의 질서라고 한다. 하늘이 만물을 생기게 하는 것에도 순서가 있으니, 만물이 이미 형체를 이룬 것 또한 질서가 있다. 질서를 안 다음에 법도가 바르게 되고, 질서를 안 다음에 예의가 행해진다.

"생겨남에는 앞과 뒤가 있기 때문에 하늘의 순서가 되는 것"이라고 했습니다. 신화(神化)로부터 무한한 몸이 생겨나만 여기에는 선후의 순사가 있습니다. 그렇기 때문에 선후에 대한 올바른 인식은 공간과 시간의 선후에 갇히는 것이 아니라 신화(神化)에 있습니다. 모든 것은 생김에 있어서 선후(先後) 안에 있지만, 선후는 영원무한 안에 있습니다. 즉, 자연의 모든 것이 자기 생김에 있어서 영원무한의 생명과 사랑 안에 있다는 사실이 분명할 때, 생김의 선후를 생명과 사랑으로 존중할 수 있습니다. 먼저 생겨났다고 해서 나중에 생겨난 것을 '어린 것'으로 무시하지 않습니다. 나중에 생겨났다고 해서 먼저 생겨난 것을 '나이든 것'으로 무시하지 않습니다.

현대 우리 사회는 세대 차이가 큰 문제입니다. 함께 어울리지 못합니다. '먼저 생김'과 '나중 생김'을 영원무한의 생명과 사랑 안에서 이해하면, 세대 차이는 없습니다. 왜냐하면 선후를 따지기 이전에 영원무한의 생명과 사랑이 선후에 일관된 진리이기 때문입니다. 이 진리가 분명할 때, 생명과 사랑 앞에서 모든 것은 절대 평등입니다. 이 평등 안에서 서로의 다름을 선후(先後)로 이해할 수 있습니다. 이 이해가 분명할 때 세대 차이는 분열의 원인이 아니라 서로 다름을 배움으로써 서로 다름을 즐기는 행복의 원천이 됩니다. 어린 사람은 어른을 향해서 더 이상 '꼰대'라고 비하하지 않으며, 어른은 어린 사람을 향해서 '나 때는' 같은 억지를 강요하지 않습니다.

이러한 행복을 장재는 다음과 같이 확인합니다.

[5-5-7 『완역 성리대전』]
物無孤立之理, 非同異·屈伸·終始以發明之, 則雖物非物也. 事有始卒乃成, 非同異·有無相感, 則不見其成, 不見其成, 則雖物非物. 故一"屈伸相感而利生焉."

물(物)에는 고립된 이치가 없으니, 같음과 다름, 굽힘과 폄, 시작과 끝으로 그것을 밝히지 않으면 비록 물(物)이라도 물(物)이 아니다. 일에는 시작과 끝이 있기에 이루니, 같음과 다름, 있음과 없음이 서로 감응하지 않으면 그 이룸을 보지 못하고, 그 이룸을 보지 못하면 비록 물(物)이라도 물(物)이 아니다. 그러므로 한결같이 "굽힘과 폄이 서로 감응하여 이로움이 생겨난다."라고 했다.

"물(物)에는 고립된 이치가 없으니"라고 했습니다. 신화(神化)는 자연의 모든 몸을 무한하게 생겨나게 하므로 엄격히 말해서 '리'(理: 신의 본성)은 '통'(通: 理通)이 아니라 '국'(局: 理局)입니다. 반면, 리에 의해서 생겨난 무한한 몸 각각은 사실상 신의 몸을 자기 존재에 고유한 본성으로 갖기 때문에 '기'(氣: 神化에 의해서 생겨난 몸)는 '국'(局: 氣局)이 아니라 '통'(通: 氣通)입니다. '리통기국'(理通氣局)이 아니라 '리국기통'(理局氣通)입니다. 물(物: 氣)에는 고립된 이치가 없습니다. 이 사실이 분명할 때, 서로 다른 기(氣)는 '서로 다름' 안에서 '본래 하나'라는 진실로 확인됩니다. 우리 몸의 진실이며 자연의 진실입니다.

그러므로 장재의 다음과 같은 결론은 지극히 당연한 것입니다.

[5-5-13 『완역 성리대전』]
形也, 聲也, 臭也, 味也, 溫涼也, 動靜也, 六者莫不有五行之別, 同異之變, 皆帝則之, 必察者歟!

형체, 소리, 냄새, 맛, 따뜻하고 서늘함, 움직임과 고요함, 이 여섯은 오행이 분별되고 같음과 다름의 변화가 있지 않은 것이 없는데, 모두 상제가 법칙(자연스러운 규율)을 만들었으므로 반드시 살펴야 할 것이다.

"모두 상제가 법칙(자연스러운 규율)을 만들었으므로 반드시 살펴야 할 것이다."라고 했습니다. '리국기통'(理局氣通)입니다. 신의 몸은 자연을 구성하는 모든 몸으로 드러납니다. '리국'(理局)입니다. 이렇게 생겨난 모든 것은 서로 다름에도 불구하고 신의 본성 안에서 본래 하나입니다. '기통'(氣通)입니다. 이 이유로 우리는 자연 안에 무한히 존재하는 몸을 배워서 이해할 수 있습니다. 지금 우리의 몸과 자연의 모든 몸이 신화(神化)의 선후(先後)에서 보면 절대적으로 다르지만, 신 그 자체의 본성에서 보면 본래 하나입니다. 이 사실이 리국기통(理局氣通)입니다. 우리가 자연의 모든 몸을 영원의 필연성 안에서 이해함으로써 그 모든 몸을 생명과 사랑으로 교차할 수 있는 근본 이유입니다. 이러한 맥락에서 '리통기국'(理通氣局)은 인식의 오류입니다.

3. 天性在人: 인간의 절대 평등
천 성 재 인

이제 우리는 인간이 그 자체로 얼마나 성스럽고 소중한지, 그리고 오직 인간만이 인간에게 가장 중요하고 유용하다는 것을 깨닫게 됩니다. 자연 안에서 오직 인간만이 신화(神化)를 이해합니다. 인간은 자신뿐만 아니라 자연의 모든 것을 신화로 이해합니다. 그 결과 자신의 몸과 자연의 모든 몸이 신의 몸으로 존재한다는 사실을 이해합니다. 그래서 장재는 인간의 성스러움을 다음과 같이 확인합니다.

[5-6-13 『완역 성리대전』]
天性在人, 正猶水性之在冰, 凝釋雖異, 爲物一也, 受光有小大·昏明, 其照納不二也.

천성이 사람에게 있는 것은 바로 물의 성분이 얼음 안에 있는 것 같아서 응결함과 녹음이 비록 다르지만 동일한 물건이며, 빛을 받을 때 크고 작음과 어둡고 밝음이 있지만 받아들인 빛은 둘이 아니다.

"천성이 사람에게 있는 것은 바로 물의 성분이 얼음 안에 있는 것 같아서 응결함과 녹음이 비록 다르지만 동일한 물건이며"라고 말했습니다. 이 대목에서 우리는 장재가 물자체 인식을 인간 정신의 핵심에 두고 있다는 사실을 다시 확인할 수 있습니다.

[5-6-16 『완역 성리대전』]
性其總, 合兩也; 命其受, 有則也. 不極總之要, 則不至受之分, 盡性窮理而不可變, 乃吾則也. 天所自不能已者謂命, 不能無感者謂性. 雖然, 聖人猶不以所可憂而同其無憂者, 有相之道存乎我也.

성(性)은 사람이 품수받은 자질의 총칭으로 둘(천지의 성과 기질의 성)을 합한 것이고, 명(命)은 사람이 받은 것으로 규율을 갖추고 있다. 총칭의 중요함을 극진하게 하지 않으면 받은 소질을 지극하게 하지 못하며, 성을 다하고 리를 궁구해도 변할 수 없는 것이 바로 나의 규율이다. 하늘이 스스로 그칠 수 없게 한 것을 명이라고 하고, 감(感)이 없을 수 없는 것을 성이라고 한다. 비록 그렇더라도 성인은 오히려 근심할 수 있는 것[性]으로 근심이 없는 것[命]과 같게 하지 않는 자이니, 서로 돕는 방법은 나에게 보존되어 있다.

가장 중요한 것은 "방법은 나에게 보존되어 있다."는 것입니다. '몸이 몸을 생겨나게 한다.'는 것은 기질(氣質)의 성(性)입니다. 그런데 이 둘 사이에 존재하는 인과의 필연성은 천지(天地)의 성(性)입니다. 나무의 몸에서 나무가 생겨납니다. 기질의 성입니다. 물고기의 몸에서 물고기가 생겨납니다. 인간의 몸에서 인간의 몸이 생겨납니다. 모두가 기질지성입니다. 그러나 원인과 결과의 필연성에서 보면 이것은 그 어떤 우연성이나 가능성을 용납하지 않기 때문에 몸 생김 그 자체에 고유한 본성은 영원의 필연성입니다. 이 사실이 '천지의 성'입니다.

우리는 이 논리에 근거하여 진화를 이해할 수 있습니다. 모든 생김이 영원의 필연성 안에 있기 때문에 생김의 놀이 또한 영원의 필연성 안에 있습니다. 생김의 놀이는 무한한 방식으로 무한히 이루어지기 때문에 그에 따라서 몸은 무한한 방식으로 무한하게 변화합니다. 이 변화도 영원의 필연성 안에 있습니다. 이 변화가 또 다른 변화를 가져오며, 이러한 변화는 무한하게 진행됩니다. 그 결과 몸의 놀이는 영원의 필연성으로 몸을 무한히 새롭게 하며, 그 자체가 다시 새로운 몸의 생김입니다. 생김이 새로운 놀이를, 새로운 놀이는 다시 새로운 생김을 가져옵니다. 몸은 생김 이후 놀이를 통해서 무한히 변화하기 때문에 그렇습니다. 따라서 진화에 대한 올바른 이해도 영원의 필연성 안에 있습니다.

그러므로 인간의 행복과 인간 문명의 번영과 지속을 위한 가장 확실한 방법은 인간의 정신력으로 하여금 신화(神化)를 이해하도록 인도하는 것입니다. 이 이해가 인간 정신의 본질을 구성합니다.

[5-8-47 『완역 성리대전』]
"蒙以養正", 使蒙者不失其正, 教人者之功也. 盡其道, 其惟聖人乎!

"어릴 때에 바르게 기른다."라는 것은 어린 자로 하여금 그 바름을 잃지 않게 하는 것이 사람을 가르치는 공부이다. 그 도를 다하는 것은 오직 성인일 것이다!

[5-8-54 『완역 성리대전』]
有受教之心, 雖蠻貊可教; 爲道旣異, 雖黨類難相爲謀.

가르침을 받는 마음이 있으면 비록 오랑캐라도 가르칠 수 있고, 도가 이미 다르면 같은 부류라도 서로 함께 도모하기가 어렵다.

성인(聖人)의 존재가 따로 없습니다. 자기 정신으로 자기 몸의 진실을 참답게 이해하면, 그 즉시 자기 본래의 진실이 성인입니다. 이 진실은 인간에게 절대적인 평등으로 존재합니다. 인간의 겉모습이나 현상이 중요하지 않습니다. 인간의 살아온 역사가 중요하지 않습니다. 과거가 중요하지 않다는 뜻입니다. 생각하는 인간이 자신의 정신력으로 지금 자기 몸의 진실을 이해하면, 그 즉시 인간은 자기 진실을 영원의 신성(神性)으로 이해합니다. 성리학의 감정과학이 어린이로 하여금 자기 몸을 이해하도록 인도하고. 궁극적으로 인간의 성스러움에 대한 확고부동한 믿음을 갖도록 가르치는 이유입니다.

2부. 정신의 본성에 관하여

1장. 영원무한의 사랑

1. 心: 인간의 마음
심

여기에서 우리는 '인간의 마음'이 무엇인지 집중적으로 살펴보겠습니다. 마음에 대한 가장 기본적인 정의는 '생각'(思)입니다. 생각이란 무엇일까요? 이 질문의 답은 우리 자신이 '스스로 생각한다.'는 사실에 있습니다. 우리는 '생각'을 합니다. 이 생각을 통해서 '이해'합니다. 그렇기 때문에 생각한다는 것과 이해한다는 것은 같은 것입니다. 그런데 이해한다는 것은 감각적 현상에 의존하여 그에 대한 해석을 하는 것이 아닙니다. 해석은 추측이나 의견일 뿐입니다. 우리는 이것을 두고 이해한다고 '생각하지' 않습니다. 이해한다는 것은 분명하고 확실하게 안다는 것이며, 이 인식을 위해서 우리는 '생각'을 합니다. 따라서 생각한다는 것은 기본적으로 명석판명의 이해를 형성한다는 것입니다.

우리는 '생각'합니다. 이 생각으로 '이해'합니다. 이제 다음 질문으로 넘어갑니다. 생각한다는 것은 무엇에 대한 생각일까요? 이 질문에 대한 직접적인 답을 찾기 이전에 우리는 우리 자신의 존재에 대해서 생각해야 합니다. 우리 자신의 생각 안에서 우리가 우리 자신의 몸으로 생겨나서 살아간다는 사실은 명백합니다. 우리는 자연에 대해서도 같은 방식으로 생각합니다. 자연의 모든 것은 몸으로 존재하며, 우리는 그 각각의 몸에 대해서 그에 고유한 이름을 부릅니다. 심지어 상상 속의 동물이나 식물에 대해서도 그것의 구체적인 형상(몸)을 그리며 이름을 부여합니다. 이처럼 존재하는 모든 것은 자신만의 몸으로 존재합니다. 지금 우리 자신의 진실이기도 합니다.

방금 우리는 우리 자신의 생각에 근거하여 우리 자신이 '몸'으로 생겨나서 활동하고 있다는 사실을 명백하게 확인했습니다. 이 문장의 뜻을 좀 더 자세히 설명하면 다음과 같습니다. 우리 자신이 존재하지 않으면 우리는 생각할 수 없습니다. 그리고 우리 자신의 생각에 의해서 우리 자신의 존재는 몸으로 확인됩니다. 이 사실에 입각하여 생각은 무엇보다도 자기 몸에 대한 생각입니다. 그런데 방금 전에 우리는 '생각한다는 것'을 '이해한다는 것'으로 정리하였으므로, 이에 근거하여 우리는 생각의 핵심이 자기 몸에 대한 명석판명의 이해를 형성하는 데에 있다는 것을 확인할 수 있습니다. 따라서 마음을 생각하는 것으로 정의하는 한에서 '마음'(心)의 본질은 '몸'에 대한 명백한 이해에 있습니다.

마음이 자기 몸에 대해서 이해하려는 생각을 할 때, 마음은 자기 몸을 '생김'과 '놀이'로 구분해야 합니다. 몸은 생겨나는 것이며, 생겨난 몸이 자신의 놀이를 합니다. 이 구분을 통해서 마음의 생각은 몸의 '생김에 대한 이해'와 몸의 '놀이에 대한 이해'로 나눕니다. 그런데 이 둘 사이에는 엄연히 선후(先後)의 논리가 분명합니다. 몸의 생김이 몸의 놀이에 앞섭니다. 이 논리에 기초하면, 마음이 자기 몸의 생김에 대해서 이해하면 이 이해는 즉시 몸의 놀이에 적용됩니다. 왜냐하면 생김의 몸으로 놀이하기 때문입니다. 서로 다른 몸이 아닙니다. 몸에 대한 '이해'를 생김과 놀이로 '구분'할 뿐입니다. 몸의 생김에 대해서 이해하면 이는 즉시 몸의 놀이에 대한 이해입니다.

마음의 생각은 자기 몸에 대한 생각이며, 이 생각은 실질적으로 몸의 생김에 대한 마음의 이해입니다. 마음이 몸의 생김에 대해서 생각할 때, 마음은 엄마아빠를 생각하지 않을 수 없습니다. 왜냐하면 엄마아빠 없이는 자기의 몸이 생겨날 수 없다는 사실이 영원의 필연성으로 명백하기 때문입니다. 여기에서 매우 중요한 사실이 확인됩니다. 마음의 생각은 영원의 필연성에 대한 '생각'이며, 이 생각은 사실상 영원의 필연성에 대한 '이해'입니다. 마음은 자기 몸의 생김에 대해서 영원의 필연성으로 생각하고 이해합니다. 여기에는 그 어떠한 우연성이나 가능성이 없습니다. 이 생각이 바로 '선험분석'(先驗分析)입니다.

부모는 선험입니다. 부모는 내 몸의 앞선 존재이며, 이 존재에 의해서 지금 내 몸이 생겨났습니다. 다음으로 영원의 필연성은 분석입니다. 마음이 영원의 필연성에 대해서 생각하고 이해할 때, 마음은 이 이해를 자기 안에서 자기 스스로 형성합니다. 마음은 자신의 생각 또는 이해 이외 다른 것에 절대적으로 의존하여 생각하거나 이해를 형성하지 지 않습니다. 마음이 자기 몸에 대해서 생각하는 중에 자기 몸의 생김에 대해서 이해할 때, 마음은 '생명의 엄마 몸'과 '생명의 아빠 몸'이 영원의 필연성 안에서 '사랑'함으로써 지금 자기의 '몸'이 생겨나게 되었다는 사실을 '영원의 필연성'으로 분명하게 이해합니다. 이 이해가 선험에 대한 '분석'입니다. 자기이해 안에서 자기 몸의 생김을 이해하는 것이 선험분석입니다.

우리의 논의가 이 지점에 이르면 마음의 기능을 다음과 같이 요약할 수 있습니다.

마음은 자기 몸에 대한 '선험'(엄마 몸과 아빠 몸)-'분석'(영원무한의 필연성)의 이해를 형성한다.

그런데 조금 전에 우리는 몸의 생김에 대한 이해가 몸의 놀이에 대한 이해로 직결된다고 정리했습니다. 생김의 몸으로 놀이하기 때문에 우리가 생김의 몸을 선험분석으로 이해하는 한에서 놀이의 몸도 당연히 선험분석으로 이해해야 합니다. 선험분석이 후험의 놀이에도 분석으로 존재합니다. 놀이를 생김과 비교하면, 당연히 후험입니다. 그렇기 때문에 선험분석은 '후험'에서 분석으로 존재합니다. 따라서 우리는 앞에서 요약한 마음의 기능에 한 가지 기능을 더 추가해야 합니다.

마음은 자기 몸에 대한 후험분석의 이해를 형성한다.

마음의 두 가지 기능을 한 자리에 논하면 다음과 같습니다.

① 마음은 자기 몸에 대한 '선험'분석의 이해를 형성한다.
② 마음은 자기 몸에 대한 '후험'분석의 이해를 형성한다.

이 이해가 왜 중요할까요? 마음이 자기 몸의 생김을 선험분석으로 이해한다는 것은 자기 몸이 영원무한의 생명과 사랑의 몸에 의해서 생겨났다는 사실을 이해하는 것입니다. 마음이 자기 몸의 생김을 영원의 필연성으로 이해한다는 것은 엄마아빠의 존재를 영원의 필연성으로 이해한다는 것이며, 이것은 실질적으로 엄마의 몸과 아빠의 몸이 영원의 필연성 안에서 생명의 몸으로 존재한다는 사실 그리고 이 두 분의 몸이 영원의 필연성으로 서로 사랑한다는 사실을 이해하는 것입니다. 이 '생각의 이해'는 마음이 자기 아닌 다른 것에 의존함이 없이 자기 안에서 자기 스스로 형성한 자기이해이므로, 최고의 완전성 그 자체입니다. 무엇보다도 자기는 자기이해를 믿어야 합니다.

마음이 자기이해 안에서 자기 몸의 존재가 '영원무한의 생명과 사랑'으로 생겨나고 놀이하도록 결정되었다는 사실을 영원의 필연성으로 이해할 때, 마음은 최상의 행복으로 자기 존재를 이해합니다. 마음은 자기 몸에 의해서 자기 존재 또한 영원무한의 생명과 사랑 안에 있다는 것을 이해합니다. 이 이해는 수저 계급론이나 출생의 비밀 등과 같은 것이 없습니다. 몸으로 생겨나서 존재하고 있는 우리 모두를 비롯해서 자연 전체의 몸에 절대적인 보편으로 주어진 그 자체의 진실입니다. 그렇기 때문에 우리가 선험분석으로 몸의 생김을 이해할 때, 몸은 본래부터 절대적인 평등으로 존재합니다. 인간의 평등을 확인하는 방법은 오직 이 이해를 우리 모두가 형성하는 것입니다. 몸의 현상을 평등으로 만드는 것은 억지입니다.

이 이해가 분명할 때, 우리는 눈에 보이는 부모에 대해서 이해할 수 있습니다. 부모를 원망하기 보다는 부모에게 고마움을 느낄 수 있습니다. 왜냐하면 자기 존재의 진실은 영원무한의 생명과 사랑이기 때문입니다. 이 진실이 분명한 자식은 부모를 이 진실 안에서 배워서 이해합니다. 이 이해가 종합의 방법입니다. 내 몸의 생김에 있는 엄마아빠의 이야기는 저마다 다릅니다. 여기에는 좋은 이야기도 많지만, 그만큼 좋지 않은 이야기도 많습니다. 그러나 자식이 자기 몸의 생김을 선험분석으로 이해할 때, 수많은 이야기 속에 있는 엄마아빠를 배워서 이해할 수 있습니다. 이 이해가 '선험종합'입니다. 따라서 선험분석 없는 선험종합은 원망을 벗어날 길이 없습니다.

다음으로 선험분석이 분명할 때, 후험에 대한 이해도 선험분석으로 이루어진다고 했습니다. 후험에 있는 선험분석은 당연히 후험분석입니다. 선험을 분석으로 이해한 이상, 선험의 후험에 대한 이해도 그와 같은 방식인 분석으로 이루어집니다. 즉, 영원무한의 생명과 사랑은 후험에도 존재합니다. 이 사실이 매우 중요합니다. 영원무한의 생명과 사랑은 몸의 생김에만 있는 것이 아니라 몸의 놀이에도 그대로 존재합니다. 그렇기 때문에 생김으로 몸으로 살아가는 몸의 놀이도 영원의 필연성 안에서 생명과 사랑 안에 있습니다. 이 이해가 분명할 때, 무한한 방식으로 무한하게 드러나는 몸의 놀이를 생명과 사랑 안에서 배워서 이해할 수 있습니다.

이상, 마음의 생각이 무엇인지 전체 규모를 정리하였습니다. 이하에서는 장재가 인간의 마음을 어떻게 이해하고 있는지 검토하도록 하겠습니다.

[5-1-11 『완역 성리대전』]
由太虛有天之名, 由氣化有道之名. 合虛與氣有性之名, 合性與知覺有心之名.

태허로부터 천이라는 이름이 있고, 기화로부터 도라는 이름이 있다. 허와 기를 합하여 성(性)이란 이름이 있고, 성과 지각을 합하여 심(心)이란 이름이 있다.

태허(太虛)는 영원무한의 생명과 사랑으로 존재하는 신(神)의 몸입니다[1부 1장. 2. 참조]. "태허로부터 천이라는 이름이 있고"라고 말한 이유입니다. "기화로부터 도라는 이름이 있다."라고 하였는데, 여기의 기(氣)는 신의 몸입니다. 그렇기 때문에 기화(氣化)는 사실상 신화(神化)입니다[1부 3장. 1. 참조]. 신의 몸에 의해서 자연의 몸이 무한한 방식으로 무한히 생겨나는 것이 도(道)입니다. 이로부터 "허와 기를 합하여 성(性)이란 이름이 있고"가 뜻하는 바를 알 수 있습니다. 허(虛)는 태허(太虛)이며, 기(氣)는 영원무한의 생명과 사랑의 몸입니다. 이것이 성리(性理)로서 모든 몸에 고유한 본연지성(本然之性)입니다. 이 본성 안에서 무한한 방식으로 무한한 기질지성(氣質之性)이 생겨납니다.

다음으로 "성과 지각을 합하여 심(心)이란 이름이 있다."라고 하였습니다. 신의 몸은 본연지성이며, 따라서 신은 오직 자기 몸으로 자연의 몸을 무한한 방식으로 무한하게 산출합니다. 그리고 신이 몸으로 존재하는 사실로부터 신에게 마음도 존재한다는 사실이 분명합니다. 왜냐하면 우리는 몸으로 생겨남과 동시에 마음으로 몸의 생김을 생각하고 이해하기 때문입니다. 몸에 관한 한 몸이 원인이며, 마음에 관한 한 마음이 원인입니다. 그런데 이전 논의에서 마음은 몸에 대한 이해라고 확인하였으므로 신의 마음은 당연히 자기 몸에 대한 이해와 동시에 자기 몸으로 산출하는 무한한 몸에 대한 이해입니다. 즉, 신의 마음은 자기 몸 및 자기 몸에 의해서 생겨난 몸에 대해서 이해합니다. 사실상 자연 전체의 몸이 곧 신의 몸이며, 이 사실에 근거하여 자연 전체의 몸에 고유한 마음이 신의 마음입니다.

신의 몸은 영원무한의 생명과 사랑이며, 신의 마음은 이 몸에 대한 자기이해입니다. "성과 지각을 합하여 심(心)이란 이름이 있다."라고 말한 이유입니다. 그런데 이 마음은 동시에 지금 우리 자신의 마음입니다. 왜냐하면 이 모든 논의들은 엄격히 말해서 신의 마음에 의존한 것이 아니라 지금 우리 자신의 마음이 자기이해로 명백하게 형성한 것이기 때문입니다. 이러한 관점에서 신의 마음이 곧 지금 우리의 마음으로 존재한다는 사실이 분명하며, 이 사실로부터 신의 몸이 곧 우리 자신의 몸으로 존재한다는 사실이 분명합니다. 자연의 존재 가운데 오직 우리 인간만이 이 이해를 형성하며 가르칩니다. 우리 인간이 이렇게 성스럽습니다.

2. 聖人之心: 성스러운 인간의 마음
  성 인 지 심

  인간의 성스러움을 '성인'(聖人)이라 합니다. 성인은 어떤 특별한 존재 또는 선택 받은 존재가 아닙니다. 인간이면 누구나 생각을 하며, 이 생각은 엄마아빠를 향한 생각입니다. 이 생각을 하지 않는 인간은 존재하지 않습니다. 이 생각이 분명하기 때문에 인간은 자기 몸의 생김을 선험분석으로 형성할 수 있으며, 이로부터 몸의 놀이도 분석으로 이해합니다. 이 분석이 분명하면, 당연히 공간과 시간의 형식 안에서 구체적으로 드러나는 몸의 생김과 놀이를 분석으로 이해합니다. 이 이해는 생명과 사랑 안에서 생명과 사랑을 확인하기 때문에 최고의 행복이며, 이 행복은 절대적으로 생명과 사랑을 어기지 않습니다. 인간의 성스러움은 바로 여기에 있습니다.
  장재도 인간의 성스러움을 다음과 같이 확인합니다.

[5-3-15 『완역 성리대전』]

谷之神也有限, 故不能通天下之聲. 聖人之神惟天, 故能周萬物而知.

'곡(谷)의 신' 또한 한계가 있으므로, 세상의 소리에 통할 수 없다. 성인의 신은 하늘이므로 '만물을 두루 하여 알 수 있다.'

"谷之神(곡지신)"은 종합의 정신입니다. 공간과 시간의 한계 안에 자기 정신을 가둠으로써 감각적 현상에 의존하여 몸의 생김과 놀이를 이해하는 것입니다. 곡(谷)은 '땅'을 뜻합니다. 그래서 장재는 "'곡(谷)의 신' 또한 한계가 있으므로, 세상의 소리에 통할 수 없다."라고 말했습니다. 이에 반해 "聖人之神惟天(성인지신유천)"이라고 했습니다. 성스러운 인간의 정신은 천(天)에서 유래했다는 것입니다. 우리 인간을 비롯해서 자연의 모든 것은 곡(谷)에서 생겨나 살아갑니다. 그러나 그 모든 몸은 자기 존재에 관하여 영원의 필연성을 본성으로 갖기 때문에 오직 이 사실로부터 자연을 구성하는 무한한 몸에 고유한 본성은 영원의 필연성으로 신의 몸 또는 천(天)입니다.

이 진실은 동시에 마음의 진실이기도 합니다. 자연의 모든 몸과 마음은 신의 몸과 마음에서 유래하며, 이 가운데 인간의 몸과 마음이 신의 몸과 마음 그 자체로 존재합니다. 왜냐하면 인간의 마음이 신의 몸 및 이 몸에 의해서 자연의 모든 몸이 존재한다는 사실을 이해하는 한에서 인간의 마음은 신의 마음이며, 신의 마음으로 존재하는 인간은 당연히 신의 몸으로 존재하기 때문입니다. 장재가 "성인의 신은 하늘이므로 '만물을 두루 하여 알 수 있다.'"라고 말한 이유입니다. 성스러운 사람의 정신은 신의 마음이기 때문에 신의 마음이 자신의 몸으로 산출할 수 있는 자연의 모든 몸을 이해한다는 사실로부터 인간의 마음은 자연의 모든 몸을 생명과 사랑으로 이해합니다.

그러므로 다음과 같은 장재의 결론은 지극히 당연한 것이며 쉽게 이해할 수 있습니다.

[5-3-16 『완역 성리대전』]
聖人有感無隱, 正猶天道之神.

성인이 감응은 있으나 숨김이 없는 것은 바로 천도의 신과 같다.

3. 성스러운 '사람'의 성스러운 '사랑'

인간 마음의 진실은 신의 마음입니다. 신의 마음은 자신의 생각 이외 절대적으로 다른 것에 의존하지 않습니다. 이 말은 신의 마음은 자신이 산출한 몸의 감각적 현상에 의존하여 자신 및 산출된 몸을 생각하거나 이해하지 않는다는 것을 뜻합니다. 그러나 여기에서 절대 오해하면 안 됩니다. 신의 마음은 절대적으로 몸의 감각적 현상에 대해서 눈을 감거나 외면하지 않습니다. 오히려 정반대입니다. 신의 몸은 자연의 모든 몸을 자기 몸에 고유한 본성인 생명과 사랑으로 낳기 때문에 오직 이 사실에 근거하여 신의 마음은 자연을 구성하는 모든 몸의 감각적 현상을 최고의 완전성과 최고의 아름다움으로 이해합니다. 신의 마음은 자신의 몸으로 낳은 모든 몸을 생겨나서 존재하는 '현상' 그대로를 사랑합니다.

이러한 신의 마음이 성스러운 인간의 마음입니다. 이 이해를 형성하는 것은 자연 안에서 오직 인간의 마음입니다. 그렇기 때문에 인간의 마음이 감각적 현상에 의존하여 생각하고 이해할 때, 이는 사실상 절망의 자포자기입니다. 자기 스스로 자기 진실을 부정하는 것입니다. 그래서 장재는 다음과 같이 말합니다.

[5-6-1 『완역 성리대전』]
誠明所知, 乃天德良知, 非聞見小知而已.

성(誠)과 밝음이 아는 것은 바로 천덕(天德)과 양지(良知)이지, 보고 듣는 작은 앎이 아니다.

성(誠)은 자기 본성의 필연성을 따르는 자기이해의 자유입니다. 그래서 성(誠)은 자기이해의 자명으로서 밝음(明)입니다. 이 인식(知)을 천덕(天德) 또는 양지(良知)라 부릅니다. 양지는 의지력이 아니라 물자체를 향한 명백한 인식에 근거하여 자연의 모든 몸을 최고의 완전성과 아름다움으로 이해하는 것입니다. 이 이해를 형성하는 인간의 마음이 신의 마음에 고유한 천덕(天德)입니다[1부 2장, 3. 참조]. "보고 듣는 작은 앎이 아니다."라고 말한 이유입니다. 따라서 이 마음은 절대적으로 감각적 현상에 의존하여 생각하거나 이해하지 않습니다. 물자체 인식으로 모든 몸의 현상을 사랑과 생명 안에서 배워서 순수지선의 완전성과 아름다움으로 이해합니다.

물자체 인식은 몸 그 자체의 본성인 본연지성(本然之性)을 이해하는 것입니다. 이 이해를 형성하는 것이 인간의 마음이며, 이 마음이 사실상 신의 마음이기 때문에 이러한 마음의 아름다움을 천덕(天德)으로 부릅니다. 이 인식으로 인해 인간의 마음은 신의 마음으로 자기 본래의 진실을 드러내며, 마침내 자연의 모든 것을 진실로 사랑할 수 있게 됩니다.

[5-6-7 『완역 성리대전』]

性者萬物之一源, 非有我之得私也. 惟大人爲能盡其道. 是故立必俱立, 知必周知, 愛必兼愛, 成不獨成. 彼自蔽塞而不知順吾理者, 則亦末如之何矣.

성(性)은 만물을 하나로 하는 근원으로 내가 사사롭게 얻을 수 있는 것이 아니다. 오직 대인만이 그 도를 다할 수 있다. 이 때문에 설 때에는 반드시 함께 서고, 알 때에는 반드시 두루 알며, 사랑할 때에는 반드시 아울러 사랑하고, 이룰 때에는 홀로 이루지 않는다. 저들은 가리고 막힘으로 말미암아 우리의 리(理)를 따르는 것을 알지 못하는 자이니, 또한 어떻게 할 수가 없다.

물자체 인식은 영원의 필연성에 기초합니다. "내가 사사롭게 얻을 수 있는 것이 아니다."라고 말한 이유입니다. 우리의 마음이 영원의 필연성 안에서 자신을 이해하고 자연을 이해할 때, 우리의 마음은 절대 생명과 사랑을 어기는 생각을 하지 않습니다. 자신의 존재가 이미 순수지선으로 영원의 필연성 안에서 결정되었으며, 자연의 몸도 마찬가지입니다. "사랑할 때에는 반드시 아울러 사랑하고, 이룰 때에는 홀로 이루지 않는다."라고 말한 이유입니다. 그러므로 우리의 마음이 자기 본래의 기능에 충실함으로써 신의 마음으로 생각하고 이해하는 한에서 우리는 영원무한의 생명만을 주고받습니다.

2장. 영원무한의 생명

1. 神의 몸으로 존재하는 나
　　신

　　지금 자기의 몸이 신의 몸이라는 사실을 이해하면, 그 즉시 자기
는 영원무한의 생명과 사랑으로 자기를 이해합니다. 몸의 겉모습은
생로병사의 질곡에 갇힌 것 같지만, 몸의 진실은 영원무한의 생명과
사랑입니다. 자기 스스로 자기 몸에서 자기 생명의 진실을 이해할
때, 자기는 생로병사의 질곡을 영원무한의 생명과 사랑으로 이해할
수 있게 됩니다. 장재도 다음과 같이 생명의 진실을 확인합니다.

> [5-6-9 『완역 성리대전』]
> 盡性, 然後知生無所得, 則死無所喪.
>
> 성(性)을 다한 후에 살아서 얻을 것이 없으니 죽어서 잃을 것이 없
> 음을 안다.

　　성(性)을 다 한다는 것은 자기 몸에 고유한 본성의 진실을 이해한
다는 것을 뜻합니다[1부 3장, 1 참조.]. 이 이해는 실질적으로 자기 스스
로 자기 몸의 진실을 영원무한의 생명과 사랑으로 확인하는 것이므
로 "살아서 얻을 것이 없으니 죽어서 잃을 것이 없음을 안다."는 결론은

필연적입니다. 이미 생겨날 때 영원의 필연성으로 영원무한의 생명과 사랑을 받았습니다. 살아서 얻을 것이 없습니다. 그렇기 때문에 죽는다고 해서 이 사실은 절대 변하지 않습니다. 자기 몸은 영원의 필연성으로 생명과 사랑에 의해서 생겨나도록 결정되었습니다.

이 사실로부터 자기는 자기 스스로 자기의 행복을 지킬 수 있습니다. 자기 구원은 자기가 합니다. 자기 아닌 다른 것에 의존하지 않습니다. 그렇기 때문에 무엇보다도 자기 몸의 진실이 영원무한의 생명과 사랑 안에서 생겨나고 활동하도록 영원의 필연성으로 결정되었다는 것을 자기 스스로 이해해야 합니다. 몸을 감각적 현상이 아닌 몸 그 자체인 물자체로 인식해야 하는 이유가 여기에 있습니다. 장재도 물자체 인식을 다음과 같이 확인합니다.

[5-6-10 『완역 성리대전』]
未嘗無之謂體, 體之謂性.

없은 적이 없음을 체(體)라고 하고, 체(體)를 성(性)이라고 한다.

여기에서 체(體)는 몸이며, 엄격히 말해서 몸 그 자체의 진실로서 물자체입니다. 이 몸은 영원무한의 생명과 사랑이기 때문에 그 자체가 영원의 생명입니다. "없은 적이 없음을 체(體)"라고 말한 근본 이유입니다. 이러한 이해는 체(體)에 이어서 나오는 문장에 의해서 분명합니다. "체(體)를 성(性)이라고 한다."라고 말했습니다. 성(性)은 이미 분석하였듯이 신의 몸에 고유한 본성, 즉 '본연지성'(本然之性)입니다.

체(體)를 성(性)으로 확인한 이상, '체'는 물자체가 확실합니다.

이상의 논의는 아래에 있는 인용에 근거하여 의심의 여지를 남기지 않습니다.

[5-6-11 『완역 성리대전』]

天所性者通極於道, 氣之昏明不足以蔽之; 天所命者通極於性, 遇之吉凶不足以戕之; 不免乎蔽之戕之者, 未之學也. 性通乎氣之外, 命行乎氣之內, 氣無內外, 假有形而言爾. 故思知人不可不知天, 盡其性然後能至於命.

하늘이 부여한 성(性)은 도에 극진히 통달하니 기(氣)의 어두움과 밝음이 그것을 가리기에 부족하고, 하늘이 명(命)한 것은 성(性)에 극진히 통달하니 만나는 길함과 흉함이 그것을 소멸시키기에 부족하며, 그것을 가리거나 해치는 것을 면하지 못하는 자는 아직 배우지 못한 것이다. 성(性)은 기(氣)의 밖에서 통하고, 명(命)은 기의 안에서 운행하지만, 기는 안팎이 없으므로 형체가 있다고 가탁하여 말할 뿐이다. 그러므로 사람을 알려고 마음먹으면 하늘을 알지 않을 수 없고, 그 성을 다한 후에 명에 이를 수 있다.

성(性)은 하늘이 부여한 것입니다. 하늘은 신입니다. 신은 몸으로 존재하며, 이 몸은 영원무한의 생명과 사랑입니다. 신은 자신의 몸으로 자연의 모든 몸을 무한한 방식으로 무한하게 산출하기 때문에 자연의 모든 몸은 자기 존재에 관하여 영원의 필연성으로 신의 몸을 원인으로 갖습니다. 신의 몸이 곧 자연 전체의 몸으로 존재하는 까닭입니다. 이러한 맥락에서 하늘이 부여한 성(性)은 신의 몸에 고유한 본성이며, 동시에 자연 전체의 본성입니다. 이 사실로부터 신의 몸에 의해서 산출된 몸의 무한한 현상은 절대적으로 신의 몸에 고유한 본성 안에 존재한다는 결론이 필연적으로 도출됩니다. "기(氣)의 어두움과 밝음이 그것을 가리기에 부족하고"라고 말한 이유입니다. 산출된 몸의 무한한 현상을 어두움과 밝음으로 표현할 뿐입니다.

다음으로 살펴볼 것은 "하늘이 명(命)한 것은 성(性)에 극진히 통달하니 만나는 길함과 흉함이 그것을 소멸시키기에 부족하며"라고 말한 부분입니다. 몸 그 자체의 진실이 최고의 완전성 안에서 최고의 축복이기 때문에 몸이 처한 조건이나 환경에 상관없이 몸은 절대적으로 최고의 행복 안에 있습니다. 이 행복은 좋은 조건이나 환경 또는 나쁜 조건이나 환경에 구애 받지 않습니다. 그 어떤 길흉도 이러한 행복의 진실을 가릴 수 없습니다. 그렇기 때문에 자기의 행복이 외부 원인에 의해서 결정된다는 생각은 자기 스스로 자기 존재의 진리를 이해하지 못한 것입니다. "그것을 가리거나 해치는 것을 면하지 못하는 자는 아직 배우지 못한 것이다."라고 말한 이유입니다.

이상의 논의를 통해서 장재는 자신의 이야기를 "그러므로 사람을 알려고 마음먹으면 하늘을 알지 않을 수 없고, 그 성을 다한 후에 명에 이를 수 있다."라고 말함으로써 마무리 합니다. 장재에 의하면 인간의 정신이 자기 몸의 진실인 신의 몸을 이해할 때, 인간은 자기이해 안에서 자기의 참된 행복을 확인하게 된다는 것입니다. 따라서 다음과 같은 결론은 지극히 당연한 것입니다.

[5-6-12 『완역 성리대전』]
知性知天, 則陰陽鬼神皆吾分內爾.

성을 알고 하늘을 알면 음양과 귀신은 다 나의 몫 안에 있을 뿐이다.

[5-6-14 『완역 성리대전』]
天良能本吾良能, 顧爲有我所喪爾.明天人之本無二.

하늘의 양능은 본래 나의 양능이니, 다만 내가 잃은 것이 있을 뿐이다. 하늘과 사람은 본래 둘이 아님을 밝혔다.

그러므로 신의 몸 안에서 자기 몸을 이해하면, 신의 존재가 곧 지금 자신의 존재입니다. "하늘과 사람은 본래 둘이 아님을 밝혔다."라고 했습니다. 신을 이해하는 사람은 자신이 곧 신으로 존재하고 있다는 사실을 확인합니다. 왜냐하면 신을 이해하는 것은 오직 신 자신이기 때문입니다. 장재가 "하늘의 양능은 본래 나의 양능이니"라고 말한 이유입니다. 참고로 스피노자도 자기이해의 자명을 신의 자기이해라고 증명하였습니다.

〖스피노자 윤리학, 제5부 정리 36〗
신의 존재를 무한 그 자체의 존재가 아닌 영원의 상(相) 아래에서 이해하는 지금 내 마음의 본질을 통해서 설명하는 한에서, 신을 향한 지적인 사랑을 형성하는 나의 마음은 신이 자신을 사랑하는 신의 사랑 자체이다. 즉, 지금 내 마음이 신을 향한 지적인 사랑으로 존재한다는 것은 신이 자신을 사랑하는 무한한 사랑의 일부이다.

- 『신을 향한 지적인 사랑』(성동권, 부크크, 2024)

2. 자기구원의 행복

자기 생명은 사실상 자기 '몸'의 생명입니다. 이때 자기 스스로 자기 몸의 생명을 물자체로 인식하면 자기는 영원무한의 생명과 사랑으로 자기 생명을 이해합니다. 그러나 자기 몸을 겉모습 같은 감각적 현상으로 바라보며 그에 대한 해석을 하면, 뜻밖에 자기는 영원무한의 생명과 사랑 안에 존재함에도 불구하고 생명과 사랑을 밖에서 구하는 비참한 신세로 전락하게 됩니다. 자기는 이미 영원무한의 생명과 사랑의 축복을 받고 있음에도 불구하고 그런 것은 없다고 부정합니다. 우리가 행복과 불행의 진상이 무엇인지 확인하면, 자기 생명과 행복을 구원하는 것은 자기의 '자기이해'에 달려있다는 것을 쉽게 알 수 있습니다.

이 지점에서 우리는 '형이상'(形而上)과 '형이하'(形而下)에 대한 논의를 기억할 필요가 있습니다[1부 2장, 2. 참조]. 자기 몸을 두 가지 방식으로 이해할 수 있다고 했는데, 물자체로 이해하는 몸은 형이상(形而上)이며, 감각적 현상으로 이해하는 것은 형이하(形而下)입니다. 우리가 자기 몸의 진실을 이러한 두 가지 방식으로 이해할 수 있다는 사실을 확인하면, 아래에 있는 장재의 주장은 지극히 당연한 것입니다. 참고로 미리 말할 것은 두 가지 이해의 방식이라고 바로 앞에서 언급하였으나, '형이하'에서 '형이상'을 향하는 인식은 명석판명의 이해인 반면 '형이상' 없이 '형이하'를 향하는 인식은 현상에 대한 해석에 불과합니다. 이 둘 가운데 어느 것이 우리 인간을 행복으로 인도하는지 우리 스스로 판단할 수 있어야 합니다.

[5-6-15 『완역 성리대전』]

上達反天理, 下達循人欲者與!

위에 도달하는 자(군자)는 천리로 되돌아오고, 아래에 도달하는 자(소인)는 인욕을 따르는 자이구나!

상달(上達)은 공간의 의미가 아니라 자기 몸의 영원한 진실인 '형이상'(形而上)을 이해하는 것입니다. 이렇게 이해할 수 있는 근거는 반천리(反天理)에 있습니다. "천리로 되돌아오고"라고 했습니다. 자기의 몸에서 신의 몸을 이해하는 것입니다. 반대로 하달(下達)은 자기 몸의 감각적 현상인 '형이하'(形而下)만으로 자기 생명과 행복을 이해하는 것입니다. 이 이해로 인해 자기는 생명과 행복을 자기 밖에서 구걸하는 비극에 몰입하게 됩니다. "인욕을 따르는 자이구나!"라고 말한 까닭입니다. 참고로 여기에서 말하는 '인욕'(人欲)이란 욕망에 대한 부정이 아니라 자기 오해가 불러일으키는 욕망의 왜곡입니다[이와 관련된 자세한 논의는 3부에서 합니다.].

영원의 필연성 안에서 최고의 완전성으로 존재하는 행복은 자기 밖에서 구걸하는 것이 아닙니다. 자기 몸 안에 본래부터 존재하고 있으며, 사실상 지금 자기의 몸이 영원의 생명이며 최고의 축복입니다. 자기를 바로 보면 자기는 이미 최고의 행복을 받아서 생겨나고 활동하는 성스러운 존재입니다. 자기 생명을 영원의 생명으로, 그리고 자기 행복을 최고의 행복으로 확인하는 방법은 오직 여기에 있습니다. 이 생명과 행복이 분명한 사람은 자기가 처한 모든 공간과 시간을 최고의 행복으로 누립니다. 조건과 환경으로 자기의 행복을 결정하는 것이 아니라 모든 조건과 환경을 행복으로 만듭니다. 과연 우리는 어떤 삶에서 참된 행복을 누릴 수 있을까요?

이 물음에 대한 장재의 답은 다음과 같습니다.

[5-6-18 『완역 성리대전』]
心能盡性, "人能弘道也"; 性不知檢其心, "非道弘人也."

마음이 성(性)을 다할 수 있으니 "사람이 도를 넓힐 수 있고", 성(性)은 그 마음을 제약하는 것을 알지 못하니 "도가 사람을 넓히는 것이 아니다."

지기 마음이 자기 몸의 진실을 이해하면, 그 즉시 자기는 자기 몸으로 영원무한의 생명과 사랑을 누리는 축복을 받습니다. "人能弘道(인능홍도)"라고 말한 이유입니다. 자기 몸은 이미 최고의 완전성 안에서 최고의 아름다움으로 존재하는 지복(至福) 속에 있습니다. 그렇다면, 우리가 생명과 사랑을 어기는 잘못이나 그와 관련된 불행을 경험하게 되는 근본 이유는 어디에 있을까요? 그 원인은 몸에 있지 않으며 몸에 대한 마음의 올바른 인식에 있습니다. 그렇기 때문에 엄밀히 말해서 몸은 자기 밖에서 행복을 구하지 않습니다. 이미 지복 속에 있기 때문에 그러합니다. 이로부터 문제는 마음의 생각, 즉 올바른 인식에 있다는 결론이 나옵니다. 장재가 "非道弘人"을 말한 이유입니다.

우리가 이러한 방식으로 자기구원에 성공할 때, 이 성공은 영원의 필연성으로 우리로 하여금 모든 생명을 영원무한의 생명과 사랑으로 사랑하도록 인도합니다. 자연의 모든 몸을 감각적 현상에 의존함으로써 선악을 판단하는 것이 아니라 그 각각에 고유한 본성의 필연성을 인식함으로써 순수지선으로 명백하게 이해합니다. 자기구원은 자기 몸의 진실을 신의 몸으로 확인하는 것입니다. 신의 몸으로 살아간다는 것은 신의 정신으로 살아간다는 것이며, 이 정신은 자연의 모든 몸을 영원무한의 생명과 사랑으로 믿고 배우며 이해합니다. 따라서 자기 몸에서 신의 몸을 이해하는 정신은 자연의 모든 몸을 신성(神性)의 순수지선으로 이해합니다.

영원무한의 생명으로 존재하는 자기는 자연과 본래 하나의 몸으로 존재하며 자기 몸을 사랑하는 방식 그대로 자연의 모든 몸을 사랑합니다. 이렇게 장엄한 학문의 실상을 장재는 다음과 같이 확인합니다.

[5-6-19 『완역 성리대전』]
盡其性, 能盡人物之性, 至於命者, 亦能至人物之命, 莫不性諸道, 命諸天. 我體物未嘗遺, 物體我知其不遺也. 至於命, 然後能 '成己成物', 不失其道.

그 성(性)을 다하면 사람과 물(物)의 성(性)을 다할 수 있고, 명(命)에 이르는 자는 또한 사람과 물(物)의 명(命)에 이를 수 있으니, 도에서 성(性)하지 않음이 없고 하늘에서 명(命)하지 않음이 없다. <u>내가 사물의 체(體)가 되어 빠트린 적이 없고, 사물이 나의 체(體)가 되어 빠트리지 않는다는 것을 안다. 명(命)에 이른 다음에 '자기를 이루고 사물을 이룰' 수 있기에 그 도를 잃지 않는다.</u>

강조를 위해서 밑줄을 그었습니다. 자연과학은 자연의 현상을 해석하는 학문이 아니라 자연 자체에 고유한 본성을 인식함으로써 자연 전체를 순수지선의 믿음 안에 두는 것으로 시작해야 합니다. 이 믿음으로 자연의 모든 몸을 순수지선으로 이해할 수 있습니다. 이 이해가 분명하지 않은 자연과학은 반드시 생명과 사랑을 어기는 비극에 가장 앞서게 됩니다. 감정과학으로 자연과학을 할 때, 자연에 대한 이해는 무한한 방식으로 무한한 몸을 영원의 필연성으로 배워서 이해하는 것이므로 인간의 정신은 무한하게 존재하는 영원의 필연성을 인식할 수 있게 됩니다. 이것으로 인간 문명은 영원의 행복 안에서 무한히 진보할 수 있게 됩니다.

3. 자기 몸: 神의 몸이 自然의 몸
신 　　　　　자 연

지금 자기의 몸을 감각적으로 바라보면 지극히 작습니다. 종종 우주의 먼지라고 자기를 부르기도 합니다. 그러나 우주 먼지 같이 작은 자기의 몸은 사실 단 하나의 영원무한한 그 자체인 신의 몸입니다. 영원무한의 생명과 사랑의 몸입니다. 지금 우리 자신의 몸을 비롯해서 자연의 모든 몸은 공간과 시간의 형식 안에서 감각적으로 지각됩니다. 그 현상에 고유한 본성이 있습니다. 인간 몸의 형상에는 그에 고유한 본성이 있습니다. 개나 고양이도 각각 자기 몸의 형상에 고유한 본성이 있습니다. 인과의 필연성에 입각하여 이 본성을 영원의 필연성으로 명백하게 이해할 때, 그때 비로소 자연 안의 무한한 몸은 영원의 필연성으로 이해됩니다. 이것이 신의 몸입니다.

우리는 여기에서 각각의 몸에 고유한 '기질지성'(氣質之性)과 신의 몸으로서 '본연지성'(本然之性) 또는 '천지지성'(天地之性)을 이해할 수 있습니다. 이 둘은 서로 다른 것이 아닙니다. 구체적인 형상으로 드러나는 몸에 고유한 본성이 기질지성이며, 이것을 영원의 필연성으로 인식할 때 그 순간이 곧 기질지성에서 본연지성을 이해하는 것입니다. 이 이해가 중요한 이유는 본성지성에 대한 인식이 분명하지 않을 때 기질지성의 순수지선을 이해할 수 없기 때문입니다. 갑자기 기질지성에 대해서 선악을 판단하는 터무니없는 비극이 발생하는 것입니다. 본래부터 순수지선으로 존재하는 기질지성을 본래의 순수지선으로 이해하기 위해서는 기질지성에 대한 인식이 아니라 그것의 본연지성을 인식하는 데에 있습니다.

이 인식의 중요성을 장재는 다음과 같이 확인합니다.

[5-6-21 『완역 성리대전』]

性於人無不善, 繫其善反不善反而已, 過天地之化, 不善反者也; 命於人無不正, 繫其順與不順而已, "行險以儌倖", 不順命者也.

사람에게 성(性)은 선하지 않음이 없지만 잘 되돌리거나 잘 되돌리지 못함에 달려 있을 뿐이니 천지의 변화를 지나친 것은 잘 되돌리지 못한 것이고, 사람에게 명(命)은 바르지 않음이 없지만 따르거나 따르지 않음에 달려 있을 뿐이니 "위험을 행하여 요행을 바라는 것"은 명(命)을 따르지 않는 것이다.

인간 정신의 진실은 신의 정신이기 때문에 인간의 정신은 자기 몸을 비롯해서 자연의 모든 몸을 신의 몸 안에서 이해하는 능력을 본래부터 가지고 있습니다. "사람에게 성(性)은 선하지 않음이 없지만"이라고 말한 이유입니다. 그렇다면 정말 중요한 것은 무엇일까요? 인간의 정신이 자기 본래의 진실인 신의 정신 안에서 자기 몸을 비롯해서 자연의 모든 몸을 신의 몸(본연지성)으로 이해하는 것입니다. "잘 되돌리거나 잘 되돌리지 못함에 달려 있을 뿐이니"라고 말한 이유입니다. 따라서 인간의 정신이 자기 본질인 신의 정신 안에서 자신의 몸과 자연의 모든 몸을 배울 때 자신을 비롯해서 자연 전체를 순수지선으로 이해합니다. "사람에게 명(命)은 바르지 않음이 없지만 따르거나 따르지 않음에 달려 있을 뿐이니"라고 말한 이유입니다.

최고의 행복은 여기에 있습니다. 자기 몸의 생명이 신의 몸에 고유한 생명이라는 사실은 실질적으로 자기 생명이 자연 전체의 생명과 하나라는 사실을 증명합니다. 이 말은 자연을 구성하는 무한한 몸을 자신의 몸으로 여긴다는 뜻이 절대 아닙니다. 자기 몸에 고유한 본성이 자연의 무한한 몸에 고유한 본성과 일치한다는 사실을 이해한다는 뜻입니다. 자연을 구성하는 몸 가운데 영원의 필연성을 본성으로 갖지 않는 몸은 없습니다. 이 사실 안에서 자연의 무한한 몸을 배워서 그것의 순수지선을 이해할 때 자기 생명의 영원을 자연 전체로 이해할 수 있게 됩니다.

그러므로 자기 생명의 진실을 영원무한으로 확인하는 유일한 방법은 자기 몸에 고유한 본성인 본연지성을 이해하는 것입니다. 이때 비로소 자연 안의 무한한 기질을 순수지선으로 배워서 이해합니다. 이 이해로 자기는 영원의 생명을 누리는 축복을 받습니다.

[5-6-22 『완역 성리대전』]

形而後有氣質之性, 善反之則天地之性存焉. 故氣質之性, 君子有弗性者焉.

형체가 있은 다음에 기질의 성이 있으니 잘 되돌리면 천지의 성이 보존된다. 그러므로 기질의 성은 군자가 성(性)이 아닌 것으로 여기는 것이다.

참고로 "기질의 성은 군자가 성(性)이 아닌 것으로 여기는 것이다."를 근거로 기질지성을 떠나서 별도로 본연지성을 생각한다면, 이는 생각을 크게 잘못한 것입니다. 중요한 것은 지금 자기의 몸에 나아가 본연지성을 이해하는 것입니다. 자연의 모든 몸에 대해서 이와 같은 방식으로 이해해야 합니다. 이 이해를 『대학』(大學)은 '격물치지'(格物致知)라고 요약했습니다. 자연의 모든 몸에 나아가 그 각각의 기질에 고유한 본성의 필연성을 인식하는 한에서 자연의 모든 몸은 순수지선으로 존재하고 있다는 사실이 분명하므로, 우리의 정신이 이 이해를 형성하는 한에서 정신은 신의 정신으로 자신의 진실을 이해합니다. 즉, 자연의 순수지선을 이해함으로써 자기 생명을 자연 전체에서 확인합니다.

3장. 자기 몸에 대한 참다운 인식

1. 窮理盡性: 자기이해의 정신력
궁 리 진 성

  본서는 몸에 대한 서로 다른 두 가지 인식으로 논의를 시작했습니다. 몸의 겉모습 같은 감각적 현상으로 몸을 이해할 수 있고(사실상 '해석'), 몸 그 자체의 본성인 물자체로 몸을 이해할 수 있습니다. 우리는 이 두 가지 이해를 '기'(氣)와 '리'(理)라는 개념어로 요약할 수 있습니다. 그렇기 때문에 '기'와 '리'는 절대적으로 '몸'을 떠나지 않습니다. 인간의 정신이 '몸'에 대해서 형성할 수 있는 서로 다른 두 가지 생각(이해)입니다. 그러나 계속해서 논의하고 강조하였듯이, 이 둘 사이에는 선후(先後)의 논리가 분명합니다. 물자체 인식으로서 리(理)가 분명하지 않으면, 뜻밖에 기(氣)의 순수지선을 분명하게 이해할 수 없게 됩니다. 기(氣)의 선악을 해석하며 기를 함부로 합니다.

  몸의 리(理)에 대한 인식이 인간 정신의 자기이해 안에서 분명할 때, 몸의 기(氣)는 영원의 필연성 안에서 순수지선으로 드러납니다. 그 어떤 몸도 가치의 우열로 평가받지 않습니다. 모든 몸은 자기 존재 그 자체의 사실만으로 영원무한의 생명과 사랑 안에서 최고의 완전성과 아름다움으로 존재합니다. 몸의 순수지선이 분명할 때, 모든 몸의 가치는 절대적인 순수지선입니다. 사실과 가치가 분리되지 않습니다. 이 이유에서 리(理)를 인식하는 인간의 정신을 덕(德)으로 칭송

합니다. 왜냐하면 '리'를 인식하는 인간의 정신 '덕분에' 인간은 무한한 방식으로 무한한 '기'를 선악으로 해석하지 않고 오직 순수지선으로 명석판명하게 이해할 수 있기 때문입니다.

장재는 다음과 같이 말합니다.

[5-6-24 『완역 성리대전』]

德不勝氣, 性命於氣; 德勝其氣, 性命於德. 窮理盡性, 則性天德, 命天理,

덕(德)이 기(氣)를 이기지 못하면 성(性)과 명(命)은 기의 지배를 받고, 덕이 그 기를 이기면 성과 명은 덕의 훈도를 받는다. 리를 궁구하고 성을 다하면 성은 천덕이 되고 명은 천리가 되니,

"德不勝氣(덕불승기)"란, 인간의 정신이 몸에 대한 이해를 물자체인 리(理)가 아닌 겉모습 같은 감각적 현상(氣)으로 형성하는 것입니다. 감각적으로 드러난 내 몸의 현상도 내 몸이 분명합니다. 남녀, 성별, 노소, 고향, 직업 등 이 모든 것이 '나'의 몸을 설명하는 술어로서 기(氣)입니다. 그러나 엄밀히 말해서 기(氣)는 몸 그 자체를 향하지 않습니다. 간단한 예로 얼굴에 비친 나의 모습이 늙고 병든 모습이라면, 젊고 건강한 나의 모습은 어디로 간 것일까요? 갑자기 자기는 거울 속 자신의 모습을 보면서 죽음만을 기다리는 처참한 신세로 전락했다고 생각하기 시작합니다. 이로부터 몸으로 생겨난 것이 저주가 됩니다. 몸으로 살아가는 것 또한 저주입니다.

이렇게 자기 몸의 생김과 놀이를 이해하는 것을 두고 장재는 "덕(德)이 기(氣)를 이기지 못하면 성(性)과 명(命)은 기의 지배를 받고"라고 말

하였습니다. 인간 정신의 비극이자 행복의 상실을 설명합니다. 그러나 인간의 정신이 몸의 리(理)를 이해하면, 몸의 생김과 놀이는 영원의 필연성으로 생명과 사랑의 축복 속에 있다는 사실을 명확하게 이해합니다. 이 말은 늙고 병들고 초라해진 모습으로 살아야 한다는 뜻이 아닙니다. 이 모습을 운명으로 인정해야 한다는 것은 더더욱 아닙니다. 영원무한의 생명과 사랑의 몸이 늙어가고 병들며 그렇게 죽음을 향해 간다는 사실을 이해해야 한다는 뜻입니다. 몸의 리(理)가 몸의 기(氣)를 품고 있습니다.

이 지점에서 '이런 말들이 무슨 위로야?'라고 말할 수 있습니다. 그러나 우리 스스로 생각을 잘 해보면 몸의 진실은 영원무한의 생명과 사랑입니다. 지금 우리 자신의 몸이 진실로 존재하며, 이 진실 안에서 생로병사를 무한히 겪을 뿐입니다. 이 사실이 분명할 때, 인간의 정신은 자기 몸의 '리'(理)가 겪는 무한한 자기 몸의 '기'(氣)를 선악으로 해석하는 오류를 범하지 않으며 오히려 자기 몸의 순간 변화로서 무한한 기(氣)에 나아가 그 각각의 순간 변화에 고유한 본성의 필연성을 배워서 이해합니다. 왜 늙게 되는지, 왜 병에 걸리게 되는지, 왜 죽게 되는지 등 몸의 기(氣) 각각의 순간 변화를 영원의 필연성으로 이해합니다.

우리가 이렇게 몸의 기(氣)를 몸의 리(理)에 근거하여 순수지선으로 이해할 때, 의료 기술을 비롯해서 모든 인간의 학문은 생명과 사랑의 진실 안에서 오직 생명과 사랑만을 증진시켜갑니다. 문명의 번영과 지속 그리고 행복을 위한 방법은 오직 여기에 있습니다. 이상의 정리를 토대로 위에서 제시한 인용문을 다시 보면, "덕이 그 기를 이기면 성과 명은 덕의 훈도를 받는다. 리를 궁구하고 성을 다하면 성은 천덕이 되고 명은 천리가 되니"라고 말한 장재의 뜻을 쉽게 이해할 수 있습니다. "德勝其氣(덕승기기)"는 인간 정신이 몸의 리(理)를 이해함으로써 몸의 무한 현상인 '기'(氣)의 순수지선을 이해하는 것입니다. 모든 몸의 무한 변화로서 기(氣)가 영원무한의 생명과 사랑인 리(理) 안에 있습니다.

이제 우리에게 가장 중요한 것은 자기 스스로 자기 몸의 진실을 이해하는 것입니다. 자기 몸에 대한 이해를 리(理)와 기(氣)로 나누고, 리의 인식 안에서 기를 배워서 이해하는 것입니다. 이 인식의 논리를 퇴계 이황은 『성학십도』의 제6도 「심통성정도」에서 리발기수(理發氣隨)로 요약하였습니다. 이 논리를 장재의 『정몽』에서도 다음과 같이 확인할 수 있습니다.

> [5-6-24 『완역 성리대전』]
> 此大德所以必受命, 易簡理得而成位乎天地之中也. 所謂天理也者, 能悅諸心, 能通天下之志之理也. … 正謂天理馴致, 非氣稟當然, 非志意所與也. 必曰"'舜禹'云"者, 餘非乘勢則求焉者也.

> 이것은 큰 도덕자가 반드시 명을 받는 것이고, 쉽고 간단하게 리가 얻어져 천지 속에서 지위를 이룬 것이다. 이른바 천리는 마음에서 기뻐할 수 있고, 세상의 뜻에 통할 수 있는 이치이다. … 바로 천리가 길들고 이룬 것이지, 기품의 당연함이 아니고 의지가 관여한 것이 아님을 말한다.

"쉽고 간단하게 리가 얻어져 천지 속에서 지위를 이룬 것이다."는 인간의 정신이 자기 몸에서 리(理)를 명백하게 인식했다는 것을 뜻합니다. "이른바 천리는 마음에서 기뻐할 수 있고, 세상의 뜻에 통할 수 있는 이치이다."라는 것은 자연 안의 모든 몸의 현상인 무한한 기(氣)를 몸 그 자체의 진실로서 물자체인 리(理) 안에서 이해한다는 것을 뜻합니다. 이러한 이해는 "바로 천리가 길들고 이룬 것이지, 기품의 당연함이 아니고"에 근거하여 분명합니다. 끝으로 매우 중요한 것은 "의지가 관여한 것이 아님을 말한다."라고 말한 부분입니다. 리(理)를 향한 인식은 의지력이 아닌 자기이해의 정신력에 있다는 사실을 다시 확인할 수 있습니다.

인간 정신 스스로 자기 몸이 자기 안에 본래부터 가지고 있는 리(理)를 이해하는 것은 정신의 의지력에서 나오는 것이 아니라 자기이해의 정신력에서 나옵니다. 지금 자기 몸이 존재하고 있다는 사실은 자기 몸의 감각에 의해서 분명합니다. 자기 스스로 자기 몸에 나아가 자기 몸 안에 본래부터 존재하는 리(理)를 인식하는 것이 정신력의 핵심입니다. 장재도 다음과 같이 확인합니다.

[5-7-5 『완역 성리대전』]
耳目雖爲性累, 然合內外之德, 知其爲啓之之要也.

귀와 눈이 비록 성(性)을 묶기도 하지만, 안과 밖의 덕을 합하는 측면에서 귀와 눈은 그것을 계발하는 요체가 됨을 알 수 있다.

우리는 감각을 부정해서는 안 됩니다. 감각으로 자기 몸과 세상의 모든 몸을 지각합니다. 몸으로 살아간다는 것은 몸의 감각으로 자신과 세상의 모든 몸을 지각하는 것입니다. 문제는 인간의 정신입니다. 정신이 감각에 의존함으로써 감각적 현상만으로 몸을 이해하면, 결코 행복할 수 없습니다. 그러나 그렇다고 해서 감각을 부정하는 것은 몸으로 살아가는 것을 부정하는 것이므로 터무니없는 것입니다. 방법은 무엇일까요? 감각으로 지각한 모든 몸의 기(氣)에 나아가 그에 고유한 본성의 필연성인 리(理)를 인식하는 것입니다. 우리가 리기(理氣)에 대한 이해를 이와 같이 확인하면, 위에 제시된 인용을 쉽게 이해할 수 있습니다.

"귀와 눈이 비록 성(性)을 묶기도 하지만"은 리(理)와 기(氣)가 서로 분리되지 않는다는 것을 뜻합니다. 기(氣) 없이 리(理)는 존재하지 않으며, 그 반대도 마찬가지입니다. 비록 이 둘 사이에 논리적 필연성은 리발기수(理發氣隨)이지만, 이 둘은 공간과 시간의 선후로 구분되지 않습니다. 마치 삼각형의 본성(理)이 본래부터 자기 안에 무한한 삼각형(氣)을 무한하게 소유하고 있는 것과 이치가 같습니다. 리는 그 즉시 기이며, 기 역시 그 즉시 리입니다. 그러나 인간 정신의 인식에 관한 한 이 둘을 구분할 수 있어야 합니다. 감각적으로 분명한 것(氣)에 나아가 그것의 본성(理)을 이해하는 것이 핵심입니다. "안과 밖의 덕을 합하는 측면에서 귀와 눈은 그것을 계발하는 요체가 됨을 알 수 있다."라고 말한 이유입니다.

그러므로 몸 그 자체의 진실로서 리(理)를 이해함으로써(窮) 무한한 방식으로 무한한 몸의 변화(氣)가 영원의 필연성으로 리(理) 안에서 생겨나고 활동한다는 사실을 이해하는 것은 정신의 본질임과 동시에 몸의 생김과 놀이에 고유한 진리입니다. 정신은 자기 스스로 사유하며 자기 스스로 이해를 형성하는 '자기이해'의 정신력으로 몸의 리(理)를 인식합니다. 이 인식으로 정신은 몸의 기(氣)를 최고의 완전성과 아름다움으로 배워서 이해할 수 있습니다. 이때 비로소 몸으로 생겨나서 몸으로 살아가는 것이 얼마나 큰 축복인지 확인하게 됩니다. 생로병사 앞에서 비참한 존재가 아닌 행복한 존재로 설 수 있는 유일한 방법입니다.

2. 以性成身: 자기 몸의 理

자기 몸을 리(理)와 기(氣)로 나누고 이 둘 사이의 논리를 '리발기수'(理發氣隨)로 요약할 때, 이 모든 인식의 기초는 지금 자신의 '몸'입니다. 이 주제는 본서의 1부에서부터 지속적으로 강조해 온 것입니다. 자기 몸이 아닌 다른 이의 몸 또는 자연의 몸에서 리기(理氣)를 이해하는 것은 좋은 방법이 아닙니다. 무엇보다도 지금 자기의 몸에서 자기 스스로 리발기수(理發氣隨)를 이해할 때, 자기 몸의 순수지선을 믿을 수 있고 그에 기초하여 자기 몸의 무한 변화를 배워서 순수지선으로 이해할 수 있습니다. 이 이해가 분명한 자기는 세상 모든 사람의 몸을 비롯해서 자연의 모든 몸을 배워서 모든 몸의 순수지선을 이해합니다.

이하에서는 이 주제에 집중하여 『정몽』을 분석하겠습니다.

[5-7-6 『완역 성리대전』]
成吾身者, 天之神也. 不知以性成身, 而自謂因身發智, '貪天功爲己力', 吾不知其知也. 民何知哉?

내 몸을 이루는 것은 하늘의 신이다. 성(性)으로 몸을 이룬다는 것을 알지 못하고 스스로 몸으로 인하여 지혜가 발휘된다고 하면 '하늘의 공로를 탐하여 자신의 공로로 삼는 것'이니, 나는 그 앎을 알지 못하겠다.

"내 몸을 이루는 것은 하늘의 신이다."라고 밝혔습니다. 지금 자기의 몸이 하늘의 몸, 즉 신(神)의 몸이라는 사실을 분명히 했습니다[2부 2장 참조.]. 자기 몸에서 리(理)를 이해하면, 자기 몸의 진실은 신의 몸입니다. 그렇기 때문에 "성(性)으로 몸을 이룬다."는 것은 영원무한의 생명과 사랑이 지금 자기 몸의 생김을 영원의 필연성으로 결정했다는 뜻입니다. 이 사실이 분명할 때, 지금 자기의 몸을 비롯해서 모든 몸은 생김과 놀이에 관하여 영원무한의 생명과 사랑 속에 있다는 것을 이해합니다. 몸에 대한 참다운 인식은 몸의 리(理)에 있을 뿐 몸의 기(氣)에 있지 않습니다. "스스로 몸으로 인하여 지혜가 발휘된다고 하면 '하늘의 공로를 탐하여 자신의 공로로 삼는 것'이니, 나는 그 앎을 알지 못하겠다."라고 말한 이유입니다.

[5-7-7 『완역 성리대전』]

體物體身, 道之本也, 身而體道, 其爲人也大矣. 道能物身故大, 不能物身而累於身, 則藐乎其卑矣.

물(物)을 체인하고 자신을 체인하는 것은 도의 근본이니, 자신으로 도를 체인하는 것은 그 사람됨이 또한 크다. 도는 자신을 물건으로 할 수 있으므로 크지만, 자신을 물건으로 할 수 없어서 자신에게 묶인다면 보잘것없이 비루해진다.

장재의 논의는 보다 적극적으로 전개됩니다. "體物體身(체물체신)"을 말합니다. 자기 몸에서 물자체(物自體)의 리(理)를 인식함으로써 그것(體)으로 지금 자기의 몸(身)을 이해해야 한다는 것입니다. 이것이 "道之本也(도지본야)"입니다. 세상의 모든 몸을 올바르게 이해하는 방법이라는 뜻입니다. 그렇기 때문에 "不能物身而累於身(불능물신이루어신)"을 다음과 같이 번역할 수 있습니다. 자기 몸을 물자체(物自體)의 리(理)로 인식할 수 없게 되면, 자기 몸의 현상인 기(氣)에 갇히게 되어 자기 몸의 영원한 진실인 영원무한의 생명과 사랑을 이해하지 못한다. 즉, 지금 자기의 몸이 신의 몸으로 존재하고 있다는 사실을 알 수 없게 됩니다. 그 결과 자기 존재를 비하하거나 우주 먼지 같은 것으로 잘못 이해합니다.

감정과학이 체물(體物)을 물자체(理) 인식으로 번역할 수 있는 근거는 다음과 같습니다.

[5-7-8 『완역 성리대전』]
能以天體身, 則能體物也不疑.

하늘로 자신을 체인할 수 있으면 물(物)을 체인할 수 있는 것 또한 의심하지 않는다.

"體物體身(체물체신)"의 핵심은 천(天)입니다. 신의 몸 그 자체 그리고 그에 고유한 본성으로 자기의 몸을 이해하는 것입니다. 이 이해가 분명할 때 자기는 자연의 모든 몸을 자기 몸을 향한 자기이해와 동일한 방식으로 이해할 수 있습니다. "能體物也不疑(능체물야불의)."라고 말한 이유입니다. 모든 몸은 자기 생김과 놀이에 관하여 영원의 필연성을 따른다는 것을 뜻합니다. 그러한 한에서 모든 몸은 영원으로부터 영원에 이르는 영원성으로 영원무한의 생명과 사랑 안에서 생겨나고 활동하도록 영원의 필연성으로 결정되어 있습니다. 아래에 제시된 인용도 지금까지 전개된 논의를 다시 확인합니다.

> [5-7-13 『완역 성리대전』]
> 以我視物, 則我大; 以道體物我, 則道大. 故君子之大也大於道, 大於我者, 容不免狂而已.

> 나로 물(物)을 보면 내가 크고, 도로 물(物)과 나를 체인하면 도가 크다. 그러므로 군자의 큼은 큼이 도에 있으니, 큼이 나에게 있다는 것은 경솔함을 면하지 못할 것이다.

"以我視物(이아시물)"의 물(物)은 물자체(物自體)입니다. 이러한 맥락에서 매우 중요한 것은 자기 몸을 리기(理氣)로 나누어 이해하는 것입니다. 동시에 자기 몸의 '리기'를 섞거나 이 둘을 혼동하지 않는 것입니다. 자기 몸의 기(氣)를 리(理)로 이해하는 것은 큰 비극을 불러일으킵니다. 뜻밖에 자기 몸과 무한한 방식으로 무한하게 다른 자연의 모든 몸에 고유한 순수지선을 이해하지 못하게 됩니다. 신의 몸이 자기 몸이 되었다는 사실, 동시에 자연의 모든 몸이 사실상 신의 몸을 무한한 방식으로 무한하게 증명하고 있다는 사실을 모르게 됩니다. 이러한 무지에 의해서 보다 더 큰 비극이 발생합니다. 늙음과 병듦 그리고 죽음 앞에 있는 자신의 기(氣)를 보면서 그 어떤 자기도 행복을 느낄 수 없습니다. "큼이 나에게 있다는 것은 경솔함을 면

하지 못할 것이다."라고 말한 이유입니다.

우리의 논의가 여기에 이르면, 인간 정신에 고유한 인식의 핵심이 무엇인지 이해할 수 있습니다.

[5-7-14 『완역 성리대전』]

燭天理如向明, 萬象無所隱; 窮人欲如專顧影間, 區區於一物之中爾.

천리를 통찰하는 것은 밝음으로 향하는 것과 같아 온갖 것들은 숨는 것이 없으며, 인욕을 궁구하는 것은 마치 오로지 그림자 사이를 보는 것과 같아서 한 사물 속에 국한될 뿐이다.

천리(天理)를 통찰한다는 것은 자기 몸의 리(理)를 이해하는 것입니다. 이로부터 인욕(人欲)을 궁구하는 것이 무엇인지 이해할 수 있습니다. 인간의 정신이 자기 몸의 '리'를 이해하지 못하면 그 즉시 자기 밖에서 생명과 행복을 구하게 됩니다. 이것이 '천리'와 대비되는 '인욕'입니다. 우리는 이 지점에서 욕망에 대해서 절대 오해하면 안 됩니다. 장재는 절대적으로 욕망을 부정하지 않습니다. 자기 스스로 자기 몸의 리(理)를 이해하는 것도 욕망입니다. 자기 존재에 대한 오류로 인하여 생명과 행복을 밖에서 구하는 것도 욕망입니다. 그러나 참된 욕망은 천리를 통찰하는 것입니다. 따라서 자기이해의 결여로 인해 자기 존재를 신(神) 또는 천(天)으로 이해하지 못하면, 그 즉시 자기는 감각적 현상인 '인'(人)에만 갇히게 되어, 헛된 것을 욕망하게 됩니다. 욕망의 오류입니다.

이 모든 욕망의 오류로부터 자신을 자유롭게 하는 유일한 방법은 자기 몸의 진실을 자기이해 안에서 분명하게 깨닫는 것입니다. 오직 이 이해만이 자기 몸의 성스러움을 확인하고, 더 나아가 무한한 몸으로 구성된 자연을 장엄천지로 이해합니다. 이 이해를 최고의 행복으로 추구하는 욕망이 욕망의 진실이며, 이것을 감정과학은 '이성적 욕망'이라는 뜻에서 '리욕'(理欲)이라 부릅니다. 그래서 장재는 다음과 같이 말합니다.

[5-8-6 『완역 성리대전』]
君子之道, 成身成性以爲功者也, 未至於聖, 皆行而未成之地爾.

군자의 도는 자신을 이루고 성(性)을 이루어 공로로 삼는 것이니, 아직 성인에 이르지 않을 때에는 다 행하여도 이루지 못하는 경지일 뿐이다.

"군자의 도는 자신을 이루고 성(性)을 이루어 공로로 삼는 것"이라고 했습니다. 지금 자기의 몸(身)에서 하나님(신)의 몸(性)을 확인하는 것이 인간 정신이 자기 본래의 기능을 최고의 선으로 실현하는 것입니다. 이로부터 자기는 성스러움 그 자체로 본래부터 존재하고 있다는 사실을 확인합니다. 자기 스스로 이 사실에 대한 인식이 분명하지 않으면, 자기는 뜻밖에 자기 몸의 겉모습 같은 현상이나 자기 몸으로 한 어떤 감각적 행동으로 자기 존재의 성스러움을 증명하려고 합니다. 매우 심각한 자기 인식의 오류입니다. 이 오류를 장재는 "아직 성인에 이르지 않을 때에는 다 행하여도 이루지 못하는 경지일 뿐이다."라고 지적했습니다. 자기 진실이 성인(聖人)임을 확인할 때, 성인이 삶을 누릴 수 있습니다.

자기의 겉모습이나 표면적인 행동으로 자기 존재의 성스러움을 증명하는 것은 매우 어리석은 것입니다. 여기에는 끝내 '거짓'과 '속임'이 끼어들어갑니다. '보여준다.'는 말은 상당한 설득력을 가지고 있는 것 같지만, 그 속에는 함정이 있습니다. 얼마든지 겉과 속이 다를 수 있다는 뜻입니다. 그러나 자기 몸의 진실은 성스러움 그 자체입니다. 자기 스스로 자기 몸의 진실을 이해하면, 자기는 절대적으로 생명과 사랑 안에서 오직 생명과 사랑만으로 살아갑니다. 싫은 것 또는 미운 것에 나아가 왜 그것이 싫고 미운지 배움으로써 그에 고유한 본성의 필연성을 이해합니다. 이 이해가 분명한 사람은 자기이해로 살아가는 절대적으로 자유입니다. 이 주제는 『장재 서명의 감정과학』에서 자세히 다루었습니다.

그러므로 다음과 같은 설명은 지극히 당연한 것입니다.

[5-8-41 『완역 성리대전』]
以心求道, 正猶以已知人, 終不若彼自立彼, 爲"不思而得"也.

마음으로 도를 구하는 것은 바로 자기로 다른 사람을 아는 것과 같아서 끝내 저들이 각자 저들을 세워서 "생각하지 않고도 얻는"것만 못하다.

장재는 "以心求道(이심구도)"를 인식의 오류로 지적합니다. 우리는 지금까지 인간의 정신에 고유한 기능으로서 '자기이해'를 강조했습니다. 학문의 핵심으로 제시했습니다. 그럼에도 불구하고 "以心求道"는 장재의 『정몽』에서 보면, 인식의 오류가 확실합니다. 우리가 장재의 철학을 감정과학을 읽고 이해할 수 있는 결정적 근거입니다. 중국 중세의 육구연과 근대의 양명, 그리고 서양 근대 철학의 대표주자 칸트 같은 학자들은 "以心求道"를 자기 학문의 금과옥조로 받아들지만, 감정과학은 이 말을 학문의 가장 큰 해악으로 이해합니다. "以心求道"를 '以身求道'(이신구도)로 이해하는 것이 이 문제를 바로잡는 방법입니다. 마음은 자기 몸에서 진리를 이해함으로써 자기 진실을 이해합니다.

3. 생명과 사랑으로 존재하는 나의 몸

자기 스스로 이해하는 자기 생명의 진실은 영원무한의 생명과 사랑입니다. 자기의 생명이 영원무한의 생명과 사랑이라는 사실을 알 때 자기는 생명과 사랑으로 살아갑니다. 자기 스스로 자기 몸을 감각적 현상으로 이해하지 않고 자기 몸 그 자체의 본성을 영원의 필연성으로 이해하는 것과 같이, 모든 몸을 자기이해와 동일한 방식으로 이해합니다. 그 결과 모든 몸의 순수지선을 확인합니다. 우리가 이렇게 자기 몸과 자연의 모든 몸을 이해할 때, 우리는 절대적으로 모든 몸을 생명과 사랑으로 존경합니다. 결국 자기 몸의 진실을 이해하는 것이 가장 중요합니다.

[6-9-13]
仁道有本. 近譬諸身, 推以及人, 乃其方也. 必欲博施濟衆, 擴之天下, 施

之無窮, 必有聖人之才, 能弘其道.

인(仁)의 도에는 근본이 있으니, 가까이 자기 자신에게 취하여 비유하고, 그것을 미루어서 다른 사람에게까지 미치는 것이 바로 그 방법이다. 반드시 널리 베풀고 많은 사람을 구제하여 천하까지 확장하여 무궁하게 시행하고자 한다면, 반드시 성인의 재능을 가지고 있어야 그 도를 넓힐 수 있는 것이다.

인(仁)은 몸 그 자체의 진실입니다. '물자체'이며 '리'(理)입니다. 영원무한의 생명과 사랑입니다. 장재는 이 몸을 '태허'(太虛), '천'(天) 또는 '신'(神)으로 부릅니다. 그런데 신의 몸은 사실상 지금 '나'의 몸으로 존재합니다. "인(仁)의 도에는 근본이 있으니, 가까이 자기 자신에게 취하여 비유하고"라고 말한 이유입니다. 이렇게 자기 몸의 진실을 인(仁)으로 이해하는 사람은 세상 모든 몸을 인(仁)으로 배워서 이해합니다. "그것을 미루어서 다른 사람에게까지 미치는 것이 바로 그 방법이다."라고 말한 이유입니다. 따라서 자기 존재의 성스러움을 이해하는 성인(聖人)을 자기 본래의 진실로 이해하는 것이 '다 좋은 세상'의 행복을 누리는 방법입니다. 장재는 "반드시 널리 베풀고 많은 사람을 구제하여 천하까지 확장하여 무궁하게 시행하고자 한다면, 반드시 성인의 재능을 가지고 있어야 그 도를 넓힐 수 있는 것이다."라고 말함으로써 이 사실을 확인했습니다.

그러므로 다음과 같은 결론은 필연적입니다.

[6-9-19 『완역 성리대전』]
性天經, 然後仁義行. 故曰 "有父子君臣上下, 然後禮義有所錯".

하늘의 법도를 나의 본성으로 삼은 뒤에야 인의가 행해진다. 그러므로 "부모와 자식, 임금과 신하, 윗사람과 아랫사람이 있는 것이니, 그런 뒤에야 예의가 행해질 곳이 있다"고 한 것이다.

"하늘의 법도를 나의 본성으로 삼은 뒤에야 인의가 행해진다."라고 말했습니다. 지금 자기 몸의 생김이 영원무한의 생명과 사랑에 의해서 결정되었기 때문에 자기 몸의 놀이 또한 영원무한의 생명과 사랑에 의해서 결정되었다는 사실을 이해하는 성스러운 자기[聖人]는 세상 및 자연 전체의 행복을 실현할 수 있습니다. 정치는 자기 생명의 성스러움을 이해하는 성인(聖人)이 하는 것입니다. 자연보호도 마찬가지입니다. 우리 모두가 자기 본래의 진실이 성인(聖人)임을 확인할 때, 다 좋은 세상의 행복을 함께 가꿀 수 있습니다.

3부. 감정의 본성에 관하여

1장. 다 좋은 감정

1. 감정의 본성으로 존재하는 太虛

감정에 대한 감정과학의 정의는 다음과 같습니다.

몸의 변화, 그리고 동시에 그 변화에 대한 마음의 관념

이 정의에서 가장 중요한 것은 감정이 '신체적 사건'이라는 점입니다. 감정은 엄밀히 말해서 '마음의 사건'이 아닙니다. 우리는 몸으로 살아갑니다. 몸의 무한 변화를 느낌으로써 그것을 감정으로 자각하는 것이 마음입니다. '몸'의 순간 변화가 감정이며, 이와 동시에 마음은 그에 대한 관념을 형성함으로써 몸과 동일하게 감정으로 존재합니다. 그렇기 때문에 감정은 서로 다른 몸과 마음이 본래부터 하나로 존재하고 있다는 사실을 증명합니다. 이때 감정이 신체적 사건이라는 사실을 절대적으로 간과해서는 안 됩니다. 그런데 계속해서 논의하여 왔듯이 몸의 진실은 '리발기수'(理發氣隨)입니다. 몸 자체의 진실인 몸의 리(理) 안에 무한한 몸의 기(氣)가 무한하게 존재합니다. 그 어떤 몸의 기(氣)도 자기 본성의 필연성인 리(理)를 부정하고 존재하지 않습니다.

우리가 이러한 방식으로 몸을 이해하는 한에서 몸의 순간 변화로

서 감정도 당연히 몸의 리(理) 안에 존재합니다. 왜냐하면 몸은 영원의 필연성으로 리(理) 안에 존재하기 때문입니다. 이미 몸 자체의 본성이 리(理)라면, 몸의 순간 변화(氣)도 당연히 몸의 본성인 리(理)를 따를 수밖에 없습니다. 몸의 순간 변화에도 몸 자체의 본성이 존재합니다. 이 논리는 기하학으로 쉽게 이해할 수 있습니다. 삼각형의 본성은 삼각형의 생김에 관하여 영원의 필연성입니다. 지금 우리가 각자 자기의 종이 위에 자신만의 삼각형(氣)을 그린다고 상상해 봅시다. 우리는 반드시 삼각형의 본성(理)을 따라서 삼각형을 그릴 수밖에 없습니다. 여기에는 절대적으로 그 어떤 우연성이나 가능성이 없습니다.

같은 방식으로 우리 몸의 놀이를 이해할 수 있습니다. 몸에 고유한 본성은 신의 몸입니다. 영원무한의 생명과 사랑입니다. 이 몸에 의해서 우리 자신의 몸을 비롯해서 자연의 모든 몸이 생겨났습니다. 우리는 우리 자신의 몸으로 살아가는 놀이를 합니다. 따라서 다음과 같은 결론은 인간 정신에 고유한 이성의 필연성에 근거하여 진리의 필연성입니다. 삼각형의 본성을 따라서 삼각형을 그리는 놀이를 하는 것과 같이 몸의 본성인 영원무한의 생명과 사랑을 따라서 몸으로 살아가는 놀이를 할 수밖에 없습니다. '이성의 필연성'이란 영원의 필연성을 이해하는 정신력이며, '진리의 필연성'이란 어길 수 없는 논리입니다. 몸의 생김과 놀이를 관통하는 '리'(理)를 이해해야 합니다.

장재는 몸의 생김에 고유한 본성으로서 영원의 필연성을 태허(太虛)라고 정의합니다. 이 정의로부터 태허는 몸-놀이에도 존재합니다. 즉, '선험분석'은 '후험분석'으로 존재합니다. 그런데 감정과학에 의하면 감정은 몸으로 살아가며 놀이하는 몸의 변화로서 후험입니다.

즉, 감정이 곧 몸-놀이입니다. 그렇기 때문에 기하학적 질서의 필연성에 기초한 감정과학의 논리에 의하면 생김에 존재하는 태허는 당연히 놀이인 감정에도 존재합니다. 삼각형의 본성이 삼각형을 그리는 놀이에도 존재한다는 것이 기하학적 질서의 필연성이며, 감정과학의 논리는 몸-생김의 진실이 몸-놀이에도 존재한다는 것입니다. 태허는 몸의 생김과 놀이를 일관합니다.

이 사실을 장재도 다음과 같이 확인합니다.

[5-1-18 『완역 성리대전』]

氣本之虛, 則湛本無形. 感而生, 則聚而有象. 有象斯有對, 對必反其爲. 有反斯有仇, 仇必和而解. 故愛惡之情, 同出於太虛, 而卒歸於物欲.

기는 태허에 뿌리를 두니, 맑음은 본래 형체가 없다. 감(感)하여 생기면 모여 형상이 있을 것이다. 형상이 있으면 상대가 있고, 상대는 반드시 그 하는 일이 반대이다. 상반되는 것이 있으면 짝이 있고, 짝은 반드시 어울리고 해결한다. 그러므로 사랑과 미움의 정은 함께 태허에서 나오지만, 끝내 물욕으로 귀결된다.

"기는 태허에 뿌리를 두니"라고 말했습니다. 자연 안에 무한히 생겨나고 활동하는 모든 몸(氣)은 우연성이나 가능성 같은 확률로 존재하는 것이 아니라 자기 존재에 고유한 본성으로서 태허(太虛)에 의해서 영원의 필연성으로 존재하도록 결정되었습니다. 태허는 영원무한의 생명과 사랑이기 때문에 단 하나의 실체이며, 이 사실로부터 태허는 오직 자기원인으로 존재하며 활동합니다. 그 결과 자기 몸의 본성을 따라서 자연의 몸을 무한하게 산출합니다. 이것이 "감(感)하여 생기면 모여 형상이 있을 것이다."의 뜻입니다. 태허에 의해서 생겨난 무한한 기(氣)는 당연히 무한히 다릅니다. "형상이 있으면 상대가 있고, 상대는 반드시 그 하는 일이 반대이다."라고 말했습니다.

그런데 정말 중요한 것은 다음과 같은 문장입니다. "사랑과 미움의 정은 함께 태허에서 나오지만"이라고 말했습니다. 이에 근거하여 우리는 장재의 『서명』이 감정과학의 논리를 따른다는 사실을 증명할 수 있습니다. 감정은 외부 원인에 의해서 존재하도록 결정된 것이 아닙니다. 몸의 순간 변화가 감정이기 때문에 우리가 몸의 기원을 태허에 두는 한에서 당연히 감정의 본성도 태허에서 유래합니다. 이 지점에서 우리는 '지극히 당연하지만 지극히 놀라운'[왜냐하면 그 누구도 장재의 『정몽』을 감정과학으로 연구하지 않았기 때문에] 명제를 제시할 수 있습니다.

'태허'는 '감정'으로 존재한다.

태허는 영원무한의 생명과 사랑으로 존재하는 '몸'이기 때문에 태허는 영원무한의 생명과 사랑의 '감정'으로 존재합니다. 몸으로 존재하는 것은 동시에 몸의 변화인 감정으로 존재합니다. 태허의 몸에서 자연의 모든 몸이 무한히 산출되는 것과 같이 태허의 감정에서 자연의 모든 감정이 무한히 산출됩니다. 우리가 몸으로 존재하는 한에서 몸의 순간 변화인 감정을 느낀다는 사실로부터 태허의 몸도 순간 변화인 감정으로 존재한다는 사실을 연역할 수 있습니다. 태허의 몸이 순간 변화하지 않는다면, 태허에 의해서 생성된 우리의 몸도 순간 변화를 할 수 없습니다. 우리는 무수한 사정이나 조건 및 환경으로 인해 무수한 감정을 느끼지만, 그 모든 무한한 감정은 절대적으로 태허의 감정을 본성의 필연성으로 갖습니다. 모든 감정은 단 하나의 예외 없이 자기 존재에 관하여 영원의 필연성을 본성으로 갖습니다.

그런데 장재는 "그러므로 사랑과 미움의 정은 함께 태허에서 나오지만, 끝내 물욕으로 귀결된다."라고 말합니다. 이는 전혀 상상하지 못한 것입니다. 감정의 기원은 태허의 감정이기 때문에 당연히 태허의 감정으로 귀결되어야 합니다. 우리는 이 말을 어떻게 이해해야 할까요? 우리는 이 문장을 둘로 나눌 수 있습니다. "사랑과 미움의 정은 함께 태허에서 나오지만"과 "끝내 물욕으로 귀결된다."입니다. 이제부터는 감정과학의 논리에 입각하여 이 두 문장의 관계를 이해해야 합니다, 왜냐하면 장재의 논리가 이미 감정과학의 논리와 일치한다는 사실이 충분히 증명되었기 때문입니다.

몸에 대한 두 가지 이해를 리(理)와 기(氣)로 구분할 수 있는 것과 같이 몸의 순간 변화인 감정에 대해서도 당연히 리(理)와 기(氣)라는 두 가지 이해가 성립한다는 것을 알 수 있습니다. 이 둘 사이의 논리는 '리발기수'(理發氣隨)입니다. 몸에 나아가 인식을 리와 기로 나눈 다음 '리'에 대한 인식이 분명하면, 그로부터 '기'에 대한 인식은 절대적인 순수지선으로 확인됩니다. 감정에 대해서도 같은 방식으로 이해할 수 있습니다. 그렇다면 이 논리에 기초하여 우리는 이 문장의 관계를 쉽게 이해할 수 있습니다. "사랑과 미움의 정은 함께 태허에서 나오지만"은 감정의 리(理)를 밝힌 것인 반면, "끝내 물욕으로 귀결된다."는 것은 감정의 리(理)를 인식하지 못한 결과 기(氣)를 잘못 인식하는 것입니다.

그러므로 우리는 장재의 감정과학을 다음과 같이 요약할 수 있습니다.

① 감정은 몸의 순간 변화이기 때문에 몸의 기원이 태허(太虛)로 밝혀진 이상, 감정의 기원도 태허(太虛)이다.

② 신의 몸이 지금 나의 몸으로 존재하는 것과 같이 신의 감정이 지금 나의 감정으로 존재한다. 나의 몸과 감정은 영원의 필연성으로 최고의 완전성으로 순수지선이다.

③ 감정에 대한 인식은 몸에 대한 인식과 같이 리(理)와 기(氣)로 나눌 수 있으며, 이 둘 사이의 논리는 리발기수(理發氣隨)이다.

2. 감정에 대한 참다운 인식

우리 자신은 무한한 방식으로 무한한 감정을 느낍니다. 자연의 모든 몸도 무한하게 감정을 느낍니다. 그러나 우리가 감정에 대한 정의를 '몸의 순간 변화'로 이해하는 한에서 무한한 감정은 태허(太虛)의 감정에서 유래합니다. 모든 감정은 자기 존재에 관하여 영원의 필연성을 본성으로 가지며, 오직 이 사실로부터 감정은 절대적으로 생명과 사랑의 감정으로 존재합니다. 감정에 대한 믿음이 이와 같은 방식으로 이성의 필연성 안에서 분명할 때, 우리는 감정에 대한 경험을 해석하지 않고 그 각각에 고유한 본성의 필연성으로 배워서 이해합니다. 그 결과 모든 감정은 자기 존재를 순수지선으로 이해하기 때문에 기분이 좋습니다.

우리가 감정을 느끼며 경험한다는 사실로부터 인간이 반드시 연마해야 하는 기본 학습이 있다면, 그것은 감정에 대한 타당한 인식

을 형성하는 것입니다. 감정을 떠나서 지금 우리 자신의 존재를 확인할 수 없습니다. 우리가 만나서 교차하는 대상의 존재를 가장 확실하게 확인하는 방법은 그 존재가 느끼는 감정을 지각할 때입니다. 이로부터 감정으로 존재하며 감정으로 교차하는 것이 자연 전체에 고유한 진실이라는 사실을 확인할 수 있습니다. 따라서 인간이 반드시 연마해야 하는 학문이 있다면, 그것은 반드시 감정과학입니다. 이 학문만이 우리의 정신을 감정에 대한 타당한 이해로 인도합니다. 그 결과 정신은 최고의 행복을 누립니다. 감정에 대한 타당한 인식을 형성하는 순간이 곧 태허의 감정을 경험하는 성스러운 순간입니다.

장재는 다음과 같이 말합니다.

[5-8-2 『완역 성리대전』]
學者中道而立, 則有位以弘之. 無中道而弘, 則"窮大而失其居", 失其居則無地以崇其德, 與不及者同; 此顔子所以"克己""研幾", 必欲用其極也.

배우는 사람이 "중도에 서면" 자리를 가지고 그것을 넓힌다. 중도가 없이 넓히면 "큼을 다하나 그 거처를 잃고", 그 거처를 잃으면 근거지가 없어서 그 덕을 높이는 것이 미치지 못한 자와 같으니, 이는 안자(顔淵)가 "사욕을 이기"고 "낌새를 궁구하여" 반드시 그 지극함을 쓰고자 하는 것이다.

배우는 사람이 중도(中道)에 선다는 것은 감정에 대한 두 가지 상이한 이해인 '리-기'(理-氣)를 리발기수(理發氣隨)의 논리로 교차시키는 것입니다. 그렇기 때문에 중도(中道) 없이 무한한 감정을 배운다고 하면, 그것은 감정의 본성인 리(理)를 이해하지 못한 것이므로 거처를 잃은 것입니다. 이런 방식으로는 감정의 순수지선을 이해할 수 없기 때문에 정신은 자기 본래의 덕(德)을 상실하게 됩니다. "그 거처를 잃으면 근거지가 없어서 그 덕을 높이는 것이 미치지 못한 자와 같으니"라고 말한 이유입니다.

다음으로 매우 중요한 부분이 등장합니다. "此顔子所以(차안자소이)" "克己(극기)" "研幾(연기)""가 그것입니다. 극기(克己)는 자기 몸에 대한 자기이해입니다. 이 이해로부터 자기는 자신의 진실이 신의 몸으로 존재하는 성스러운 사람임을 깨닫습니다. 자기는 본래 성인(聖人)입니다. 이 사실로부터 자기의 모든 감정은 성인(聖人)의 감정입니다. 자기 몸의 진실은 신의 몸이기 때문에 자기 몸의 순간 변화로서 감정은 당연히 신의 감정입니다. 매순간 무한히 새로운 자신의 감정에 나아가 그 각각을 신의 감정으로 이해하는 것이 연기(研幾)입니다. 여기의 기(幾)는 몸의 순간 변화로서 감정입니다. 이 주제는 성리학의 감정과학 연구 총서 2권 『주돈이 통서의 감정과학』에서 자세히 논의하였습니다.

자기 몸에서 신의 몸을 이해하는 사람은 자기 몸의 감정에서 신의 감정을 이해하는 사람입니다. 절대적으로 자기의 감정을 함부로 하지 않습니다. 자기 스스로 자기 감정에 나아가 감정의 본성을 영원의 필연성으로 인식합니다. 그에 기초하여 감정의 순수지선을 무한히 배워서 이해합니다. 이것이 "必欲用其極也(필욕용기극야)."입니다. '극'(極)은 영원의 필연성이며, 이 사실로부터 필연성의 실상은 영원 무한의 생명과 사랑입니다. 이 주제 또한 성리학의 감정과학 연구 총서 2권 『주돈이 통서의 감정과학』에서 자세히 논의하였습니다. 어떤 것이 우연이나 가능 같은 확률이 아닌 필연으로 존재하고 있다면, 그것은 지금 존재하는 그 자체로 최고의 완전성이며 최고의 아름다움입니다.

신의 존재는 영원의 필연성 안에서 최고의 완전함으로 아름다운 것입니다. 우리는 신에 대한 개념을 무한히 할 수 있으나, 이 무한은 결국 최고 완전성의 최고 아름다움으로 수렴됩니다. 이 사실을 이해하는 정신은 절대적으로 신의 존재를 부정하지 않습니다. 신의 몸과 그 몸에 고유한 본질을 명백하게 이해합니다. "반드시 그 지극함을 쓰고자 하는 것이다."의 뜻입니다. 그러므로 다음과 같이 논의의 핵심을 정리할 수 있습니다.

① 몸에 대한 타당한 인식이 곧 감정에 대한 타당한 인식이다.
② 감정에 대한 타당한 인식은 필연적으로 감정의 순수지선을 확인한다.

3. 감정과학의 논리

리기(理氣)가 교차함으로써 자연의 모든 몸과 감정이 생겨나고 변화합니다. 이 사실로부터 모든 몸과 감정은 본래부터 순수지선으로 존재합니다. 인간의 정신은 이 본래의 진실을 다시 배워서 이해하는 것일 뿐입니다. 이 배움으로 인간은 자기 존재의 진실 및 자연 전체의 진실을 이해합니다. 이 이해를 통해서 인간은 자기 존재의 성스러움을 이해합니다. 이때 비로소 인간은 자신이 얼마나 성스럽고 축복 받은 존재인지 깨닫습니다. 성인(聖人)은 자신의 목적지가 아니라 자기 본래의 진실입니다. 이 진리를 깨달을 때, 자연 전체가 얼마나 장엄하고 거룩한지 이해하게 됩니다. 자연의 모든 것이 신의 존재를 무한한 방식으로 표현하며 증명합니다.

장재는 이 진리를 다음과 같이 정리합니다.

[5-8-3 『완역 성리대전』]
大中至正之極, 文必能致其用, 約必能感而通.

대중(大中)과 지정(至正)의 지극함은 문(文)이 반드시 그 씀을 이룰 수 있고, 간략함[約]이 반드시 감(感)하여 통할 수 있다.

위의 인용은 매우 중요하기 때문에 주요 부분을 셋으로 나누어 각각 분석하겠습니다.

① 大中至正之極(대중지정지극)

: 자연 전체는 리기(理氣)의 교차로 존재한다. 이 교차를 합리기(合理氣)라 한다. 이상, 대중(大中)의 뜻이다. 이 교차를 통해서 자연의 모든 몸과 감정이 존재하기 때문에 자연의 진실은 영원의 필연성 안에서 순수지선이다. 지정(至正)의 뜻이다. 이 사실은 영원으로부터 영원에 이르는 영원한 진실이다. '극'(極)의 뜻이다.

② 文必能致其用(문필능치기용)

: 합리기(合理氣)의 논리는 '리발기수'(理發氣隨)이다. 인간의 정신이 리발기수의 논리에 입각하여 합리기를 이해할 때, 리기는 절대 떨어지지도 않으며 그렇다고 절대 섞이지도 않는다. 이 논리가 문(文)이다. 이 논리가 분명할 때, 자연 안에서 몸의 무한 생김과 감정의 무한 생김 및 그 모든 생김의 변화에 대해서 이해할 수 있다. 이것이 치기용(致其用)의 뜻이다.

③ 約必能感而通(약필능감이통)

: '리발기수'(理發氣隨)는 자연 모든 것의 생김과 놀이에 일관하는 논리를 요약한 것이다. 이것이 약(約)의 뜻이다. 우리는 무한한 방식으로 감정을 느끼며 경험하는데, 이 논리에 근거하여 감정을 이해하면, 이 이해는 반드시 감정의 진실과 통한다. 이것이 '능감이통'(能感而通)의 뜻이다.

그러므로 우리가 이와 같은 논리적 순서를 따라서 감정을 이해하면, 감정의 진실은 본래부터 '다 좋은 감정'으로 드러납니다. 본래 다 좋은 감정이라서 본래 다 좋은 감정을 이해하는 것이 학문의 핵심입니다. 이 학문이 '감정과학'(Science of Feelings)입니다.

2장. 욕망의 이성

1. 仁을 행복으로 추구하는 욕망

우리의 마음이 몸의 진실을 이해할 때, 이 진실은 그 즉시 마음 자신의 진실입니다. 마음 없이는 몸이 존재할 수 없으며, 반대로 몸 없이는 마음도 존재할 수 없습니다. 지금 '나'의 존재가 몸과 마음이기 때문에 마음이 몸의 진실을 이해하면 몸의 진실은 동시에 마음 자신의 진실입니다. 그런데 마음이 이해하는 몸의 진실은 영원무한의 생명과 사랑입니다. 이 몸의 진실을 '인'(仁)이라고 했습니다[2부 3장, 3. 참조]. 따라서 마음이 자기 몸의 진실인 인(仁)을 이해함으로써 자기 존재의 진실을 인(仁)으로 확인할 때, 마음은 평안과 행복을 누릴 수 있게 됩니다.

장재는 이러한 마음의 평안을 다음과 같이 확인합니다.

[5-8-26 『완역 성리대전』]
中心安仁, '無欲而好仁, 無畏而惡不仁, 天下一人而已', 惟責己一身當然爾.

마음속에서 인(仁)을 편안하게 하고, '인욕이 없으면서 인(仁)을 좋아하고, 두려워함이 없으면서 불인(不仁)을 싫어하는 것은 세상에 한 사람뿐이니', 오직 자기 한 사람에게 책임지우는 것이 당연하다.

"마음속에서 인(仁)을 편안하게 하고"라고 했습니다. 마음의 안녕과 평안은 마음 스스로 자기 진실이 최고의 완전성 안에서 최고의 행복으로 결정되어 있다는 사실을 영원의 필연성으로 이해할 때 확인할 수 있습니다. 이때 비로소 마음은 자신의 행복을 자기 몸 밖에서 구하는 자기 인식의 오류를 범하지 않습니다. 자기 진실로서 영원무한의 생명과 사랑이 자기 몸의 진실이기 때문에 자기 몸을 떠나서 행복을 구하기 않으며, 동일한 논리로 자기 몸의 진실을 부정하는 것을 싫어합니다. "인욕이 없으면서 인(仁)을 좋아하고, 두려워함이 없으면서 불인(不仁)을 싫어하는 것"이라고 말한 이유입니다.

마음의 이와 같은 결정은 자기 몸에 대한 참다운 인식으로부터 자연스러운 것입니다. 우리 모두가 자기의 진실 및 자연의 진실을 인(仁)에 근거하여 이해하면, 우리는 절대적으로 생명과 사랑을 어기는 잘못된 생각이나 그로 인한 잘못된 행동을 하지 않습니다. 그렇기 때문에 자기 몸에서 인(仁)을 이해하는 정신은 세상을 향해서 원망하거나 비난하기 이전에 세상의 진실에 근거하여 세상을 생명과 사랑으로 가꾸어갑니다. 그 모습은 무한하기 때문에 중요한 것은 자기이해 안에서 자기진리를 실천하는 자유입니다. "오직 자기 한 사람에게 책임지우는 것이 당연하다."라고 말한 이유입니다.

그러므로 우리의 마음이 자기 몸의 진실 안에서 자기 진실을 이해하는 한에서 우리는 절대적으로 생명과 사랑만을 행복으로 추구합니다. 행복 추구를 우리가 '욕망'으로 정의하는 한에서 몸의 진실을 향한 명백한 이해에서 나오는 욕망은 철두철미 '이성'입니다. 왜냐하면 몸의 진실을 이해하는 욕망은 오직 생명과 사랑만을 최고의 행복으로 추구하기 때문입니다. 이러한 욕망의 이성은 모든 악행(惡行)의 원인이 인식의 오류에서 비롯된다는 것을 이해합니다. 그렇기 때문에 욕망의 이성은 악행을 제거하기 보다는 우리 모두를 참다운 인식으로 인도합니다. 이 배움 안에서 함께 용서하며 함께 뉘우칩니다.

2. 善을 지키는 學

우리는 앞의 논의에 기초하여 사람의 선함에 대해서 제대로 이해할 수 있습니다. 선한 사람은 선한 행동을 한 사람이 아닙니다. 선한 행동을 했다고 해서 그것이 곧 그이의 선함을 증명하는 것이 아니라는 뜻입니다. 이는 기하학으로 쉽게 이해할 수 있습니다. A와 B가 있습니다. 이 둘은 삼각형을 잘 그립니다. 그런데 A는 삼각형의 본성을 분명하게 이해하고 삼각형을 그립니다. 반면, B는 삼각형의 본성에 대해서 제대로 이해하지 못한 채 그저 삼각형만을 모방하여 그릴 뿐입니다. A와 B는 삼각형을 잘 그리지만, 이 둘 사이에는 결정적인 차이가 있습니다.

A는 삼각형에 고유한 본성을 이해하기 때문에 이 세상에 존재하는 모든 삼각형을 최고의 아름다움으로 이해합니다. 왜냐하면 모든 삼각형은 절대적으로 삼각형의 본성을 따라서 존재하기 때문입니다. A는 이 사실을 이해하기 때문에 그에게는 무한하게 존재하는 삼각형 모두가 최고로 아름답습니다. 반면, B는 삼각형을 모방하여 그리기 때문에 삼각형 그 자체의 본성인 리(理)에 대한 인식에 어둡습니다. 그 대신 기(氣)에만 눈이 밝습니다. 그렇기 때문에 B는 A와 달리 모

든 삼각형이 존재 그 자체로 최고의 아름다움 속에 있다는 것을 모릅니다. 삼각형 보다는 '누구의' 삼각형을 모방할 것인지 몰입할 뿐입니다.

A와 B, 이 둘 가운데 진정으로 선(善)을 이해하고 실천하는 사람은 누구일까요? 우리는 바로 앞에서 삼각형에 대한 이해를 비유로 제시했지만, 사실상 우리 자신의 몸을 비롯해서 자연 전체의 몸을 동일한 방식으로 이해할 수 있습니다. A는 자연의 모든 몸이 존재 그 자체만으로 최고의 완전성 안에서 최고의 아름다움으로 존재한다는 것을 이해합니다. B는 전혀 이 진실을 이해하지 못합니다. 이 지점에서 우리는 어떤 극악무도한 악행을 한 C에 대한 A와 B의 이해가 완전히 달라진다는 것을 확인할 수 있습니다. A에게 C는 최고의 완전성으로 아름다운 사람입니다. 이 믿음이 분명하기 때문에 A는 C에 대해서 묻고 배웁니다.

생명과 사랑으로 생겨나서 생명과 사랑으로 놀이하도록 결정된 사람 (C)이 도대체 무슨 이유로 그런 극악무도한 잘못을 하는 것일까?

여기에서 오해하면 안 됩니다. C에 대한 A의 질문은 C의 행위에 대해서 외면하는 것이 절대 아닙니다. A가 이해하는 사람의 진실은 영원무한의 생명과 사랑이기 때문에 사람이 도대체 무슨 이유로 자기 본성에 고유한 영원한 진실을 어기게 되는지 그 필연성을 배우려는 것입니다. 이 배움이 왜 중요할까요? 이 배움을 통해서 사람이 잘못하는 이유를 이해할 때, 제2의 C 또는 제3의 C를 방지할 수 있습니다. 지금 당장 우리 자신이 C에 의해서 해악을 당하지 않았지만, 우리 세상에 C 같은 사람이 많으면 많을수록 우리 자신이 얼마든지 C에 의해서 억울한 일을 당할 수 있습니다. A의 배움은 우리 모두의 행복을 위해서 매우 고귀한 것입니다.

반면, B는 A와 완전히 다른 해결책을 제시합니다. B는 사물의 현상으로 사물을 이해하기 때문에 감각적 현상에 대한 자신의 의견이나 추측으로 현상의 옳고 그름 또는 선악을 판단합니다. 이 경우 C가 극악무도한 잘못을 저질렀다는 것은 감각적으로 분명하기 때문에 B는 그 즉시 C를 향해서 사형을 언도합니다. 이것으로 제2의 C 또는 제3의 C를 미연에 방지할 수 있다는 것입니다. 그러나 우리 자신의 인생을 돌아보고 많은 사건사고를 접해 보면, 기분 좋은 사람은 절대 잘못된 짓을 하지 않습니다. 열이면 열, 모두가 분노나 원한 같은 감당하기 어려운 감정으로 그런 행동을 합니다. 과연 그 순간 사형 등과 같은 강제나 공포가 효력을 발휘할 수 있을까요?

우리는 매순간 무한한 감정을 무한하게 느낍니다. 기분 좋은 감정을 느낄 때도 많지만, 그 이상으로 분노나 원망 등과 같은 감정을 느낄 때가 많습니다. 이 모든 감정의 순간에 나아가 감정에 대한 이해를 감각적 현상에 의존하여 선악을 판단하는 대신, 그 자체의 본성을 인식함으로써 감정의 순수지선을 이해하면 우리는 그만큼 감정에 수동적으로 종속되는 것이 아니라 감정의 진실 안에서 감정대로 살아가는 자유를 누리게 됩니다. 이 결론은 욕망의 이성에 근거하여 지극히 당연합니다. 욕망의 이성은 인(仁)을 행복으로 추구하기 때문에 우리가 매순간 느끼거나 경험하는 감정을 인(仁)으로 이해하는 것은 욕망의 이성에 근거하여 당연합니다.

이 이해로부터 우리는 오직 순수지선의 감정 안에서 순수지선의 감정으로 살아갑니다. 선(善)은 자기이해의 배움에서 확보되며, 이 배움을 통해서 무한히 증대됩니다. 매순간 무한히 새로운 감정 각각을 순수지선으로 이해한다는 것은 순수지선에 대한 인식이 무한히 증대되는 결과를 가져옵니다.

[5-8-30 『완역 성리대전』]

善人, 欲仁而未致其學者也. 欲仁, 故雖不踐成法, 亦不陷於惡, 有諸己也. "不入於室"由不學, 故無自而入聖人之室也.

선한 사람은 인(仁)을 하고자 해도 아직 그 배움을 지극하게 하지 못한 자이다. 인을 하고자 하므로 비록 이미 이룩한 법규를 실천하지 않아도 또한 악에 빠지지 않고, 자기를 유지한다. "아직 방에 들어오지 않은 것은" 배우지 않음으로부터 이므로 성인의 방에 들어가지 못한다.

"선한 사람은 인(仁)을 하고자 해도 아직 그 배움을 지극하게 하지 못한 자이다."라고 했습니다. 참된 선(善)은 자기이해에 근거하여 자기 몸의 진실인 순수지선으로 이해하는 것입니다. 자기이해를 통해서 순수지선의 믿음이 분명할 때, 매순간 새로운 몸의 현상이나 몸의 순간 변화로서 감정을 영원의 필연성으로 인식함으로써 순수지선을 확인합니다.

그러므로 선한 사람을 논하기 이전에 사람 스스로 자신의 순수지선을 알아야 합니다. 자기이해에 근거하여 자기 몸에 고유한 생김의 진실을 이해하면, 이 이해에 근거하여 몸의 순간 변화인 감정에 고유한 진실을 이해합니다. 이 진실이 분명할 때, 무한히 생겨난 몸, 그렇게 생겨난 몸의 무한 변화, 그리고 그 변화의 실질로서 무한한 감정 각각에 고유한 본성의 필연성을 배워서 이해합니다. 순수지선에 대한 믿음이 분명하기 때문입니다. 따라서 선(善)은 어떤 감각적인 행동으로 지키는 것이 아니라 감정과학을 연마하는 성스러운 사람(聖人)이 지키는 것입니다.

3. 是非와 好惡의 교차
시 비   호 오

자연 전체에 영원의 필연성으로 결정된 절대 진리는 영원무한의 생명과 사랑입니다. 이 진실이 '인'(仁)입니다. 이것이 영원한 올바름으로서 '시'(是)입니다. 그렇다면 잘못을 뜻하는 '비'(非)는 무엇일까요? 시(是)의 진실을 부정하는 것이 비(非)입니다. 이것이 감정과학이 이해하는 시비(是非)의 개념입니다. 그런데 이 개념은 우리의 일상 감정에 그대로 존재합니다. 우리의 감정은 생명과 사랑을 어기는 것에 대해서는 슬픔의 감정을 느끼며, 그것을 악(惡)으로 판단하며 싫어합니다(惡). 반대로 생명과 사랑을 증진하고 보호하는 것에 대해서는 기쁨의 감정을 느끼며, 그것을 선(善)으로 판단하며 좋아합니다(好). 시비(是非)는 항상 호오(好惡)와 교차합니다.

그런데 이 지점에서 항상 우리는 다음과 같은 질문을 합니다.

사람 중에는 생명과 사랑을 어기는 것을 좋아하는 사람이 있지 않습니까?

그러나 수많은 사람들이 수많은 곡절로 위와 같은 질문을 할 수 있지만, 우리가 스스로 생각할 수 있는 여력이 조금이라도 있다면, 이 질문에 대해서는 앞에서 언급한 A와 B의 논의에 기초하여 답을 찾을 수 있습니다. 지금 우리의 소중한 가족이나 친구가 C에 의해서 불행을 겪게 되었다면, 우리는 A와 같은 방식으로 사고하기가 매우 어렵습니다. 이 역시 지극히 당연한 것입니다. 그러나 지금 우리가 분석하는 문제는 '너는 그런 일을 겪어 봤어?' 등과 같은 경험담이 아닙니다. 사람을 배우는 논리에 대한 것입니다. 이점을 분명히 하고, 구체적인 논의에 착수하겠습니다.

우리가 어떤 사건이나 행동을 근거로 사람을 이해하면, 사람은 두 부류로 나뉩니다. 위와 같은 질문이 제기되는 것은 당연합니다. 그런데 A는 사람에 대한 믿음이 있습니다. 엄격히 말해서 몸에 대한 믿음이 있습니다. 몸은 생겨나는 것이므로 이 생김에 고유한 그 자체의 본성은 영원무한의 생명과 사랑입니다. 이러한 절대적인 사실에 대한 믿음에 근거하여 A는 '도대체 생명과 사랑의 C가 무슨 이유로 생명과 사랑을 어기는 잘못을 하며, 더 나아가 그런 잘못을 행복으로 여기는지' 진실로 알기를 원합니다. 어릴 적 가정환경을 비롯해서 자신이 처한 사회적 환경이나 조건 등, C에 대해서 진정으로 이해를 추구합니다.

결국 A는 무엇을 발견하게 될까요? 시비와 선호는 항상 교차하는 것이지만, 시비에 대한 참다운 인식이 분명하지 못하면 뜻밖에 시비와 선호의 교차에 병이 생긴다는 것을 확인하게 됩니다. 이 둘은 분리되며, 선호는 진리의 필연성을 상실하게 됩니다. 이 이유로 시비에 대한 참다운 인식이 선호를 지키는 유일한 방법입니다. 왜냐하면 인간의 몸에 고유한 진실을 우리가 명석판명의 이해로 형성하는 한에서 선호에 병이 발생하는 것은 시비에 대한 인식의 오류 이외 절대적으로 없기 때문입니다. 이 결론은 B가 절대적으로 제시할 수 없는 것입니다. 왜냐하면 B는 C의 감정에 대해서 이해하기 보다는 C의 행위에 근거하여 C의 존재 및 감정을 해석하고 판단하기 때문입니다.

A는 사람의 진실을 배우자고 합니다. 반면, B는 악한 사람이 있으니 제거하자고 합니다. 누구의 방법이 진정으로 우리를 행복으로 인도할까요? 악한 사람이 존재하므로 제거해야 한다는 생각에 우리가 몰입하면 할수록 언젠가 그리고 얼마든지 우리 자신이 다른 이들에 의해서 악한 사람으로 규정되어 제거의 대상이 될 수 있습니다. 물론 그 반대도 얼마든지 가능합니다. 우리가 악의 존재를 주장하며 그것의 존재를 제거하는 무도한 행동에 앞장설 수 있습니다. 그러나 A의 방식으로 배우며 사랑하면, 절대적으로 순수지선을 향한 믿음 안에서 순수지선을 확인합니다. 제거할 것은 없고 '함께' 배워서 '함께' 뉘우치며 '함께' 용서하는 것 이외 없습니다.

우리의 논의가 이 지점에 이르면, 다음과 같은 질문을 피할 수 없습니다.

나는 배우며 살려고 하는데, 수많은 사람들은 배우지 않으려고 한다. 나만 손해 보는 것 같다.

그러나 이 지점에서 우리는 우리 자신의 욕망에 솔직해야 합니다.

나는 정말 인(仁)을 이해함으로써 인(仁)을 좋아하며 욕망하는가?

지금 내가 진실로 인(仁)을 이해함으로써 인(仁)을 행복으로 추구한다면, 인(仁)에 관한 한 절대적으로 양보는 없습니다. 즉, 다른 사람은 인(仁)을 추구하지 않기 때문에 나도 인(仁)을 추구할 수 없다는 것은 사실상 자기 스스로 인(仁)에 대한 인식이 분명하지 않다는 고백에 불과합니다. 이는 실질적으로 '불인'(不仁)입니다. 그런데 우리는 욕망의 이성이 인(仁)을 행복으로 추구하며 동시에 불인(不仁)을 불행으로 싫어하며 추구하지 않는다는 것을 확인했습니다. 따라서 **"나만 손해 보는 것 같다."**는 생각에 대해서 우리는 마땅히 그 생각을 싫어해야 합니다.

장재는 이상의 논의를 다음과 같이 확인합니다.

[5-8-31 『완역 성리대전』]
"惡不仁", 故"不善未嘗不知", 徒好仁而不惡不仁, 則習不察, 行不著. 是故徒善未必盡義, 徒是未必盡仁, 好仁而惡不仁, 然後盡仁義之道.

"불인(不仁)을 미워하므로" "불선(不善)이 있으면 알지 못한 적이 없고", 다만 인을 좋아하고 불인을 미워하지 않으면 '익힘이 살펴지지 않고 행함이 드러나지 않는다.' 그러므로 단지 선만으로는 반드시 의로움을 다하지는 못하며, 단지 옳음만으로는 반드시 인을 다하지 못하니, 인을 좋아하면서도 불인을 미워한 후에야 인의(仁義)의 도를 다할 수 있다.

우리의 욕망은 '불인'(不仁)을 싫어합니다. 생명과 사랑을 어기는 것에 대해서 불행을 느낍니다. 반면 '인'(仁)을 좋아합니다. 생명과 사랑을 증진하며 보호하는 것에 대해서 행복을 느낍니다. 이렇게 호오(好惡)가 건강한 것은 오직 시비(是非)가 분명할 때입니다. 자기 몸의 생김에 고유한 진실에 입각하여 자기 몸의 놀이에 고유한 진실을 이해할 때, 호오(好惡)는 절대적으로 시비(是非)를 따릅니다. "단지 선만으로는 반드시 의로움을 다하지는 못하며, 단지 옳음만으로는 반드시 인을 다하지 못하니"라고 말한 이유입니다. 시비에 대한 명백한 인식에 근거하여 호오를 배워서 이해할 때, 호오는 절대적으로 시비를 따릅니다. 시비와 선호의 교차에 나아가 시비의 진실을 이해함으로써 선호를 시비에 근거하여 배울 때, 시비와 선호의 교차가 실현됩니다.

그러므로 커피숍에서 커피 한잔 마시는 순간이 시비와 선호가 교차하는 성스러운 순간입니다. 친구와 만나서 식사하며 즐거운 대화를 나누는 것도 그러합니다. 삶의 모든 순간이 성스러운 순간입니다. 학문을 연마한다는 것은 화려한 것을 보여주는 것이 아니라 감정과 감정이 서로 묻고 배움으로써 서로의 순수지선을 존경하는 것입니다. 이 배움을 우리가 게을리 하면 그 즉시 기분이 나쁩니다. 이로부터 시비와 호오는 서로 어긋나게 됩니다. 커피를 훔칠 수도 있고 친구와의 대화에서 자기의 자랑을 끝없이 늘어놓기 바쁩니다. 부부가 서로 멀어지며, 가족 사이의 대화가 실종됩니다. 불행이 넘쳐나는 비극의 세상이 됩니다. 따라서 감정과학을 반드시 연마해야 합니다.

3장. 욕망의 왜곡

1. 爲我_{위 아}: 자기만을 위하는 사사로움

욕망의 진실은 배우는 것입니다. 묻고 배워서 이해하고 싶은 것이 욕망의 본질입니다. 이 배움은 몸의 감각적 현상 또는 몸의 순간 변화로서 감정의 감각적 현상에 나아가 그에 고유한 본성을 영원의 필연성으로 배우는 것입니다. 욕망은 무한한 몸에 나아가 그 모든 몸이 신[太虛]의 몸으로 존재하고 있다는 사실, 그리고 무한한 감정에 나아가 그 모든 감정이 신[太虛]의 감정으로 존재하고 있다는 사실을 배워서 이해하기를 바랍니다. 이 이해를 통해서 욕망은 자신과 자연 전체가 본래부터 순수지선으로 존재하고 있음을 확인합니다. 그렇기 때문에 욕망은 모든 현상을 영원의 필연성으로 이해하는 '이성' 자체이며, 이러한 욕망의 이성을 감정과학은 '신을 향한 지적인 사랑'으로 정의합니다[1부 3장 참조.].

욕망이 이러한 방식으로 사랑하면, 욕망은 모든 몸과 감정을 오로지 감각적 현상에 의지하여 선악을 해석하는 인식의 오류에 빠지지 않습니다. 그러나 그 반대의 경우가 되면 욕망은 인식의 오류에 자신을 가둡니다. 그 결과 욕망은 왜곡되기 시작합니다. 모든 현상에 고유한 본성을 배우지 않으며, 그와 동시에 자신의 해석이나 의견을 토대로 자기와 다른 방식으로 존재하며 활동하는 몸이나 감정을 용납하지 않습니다. 더 나아가 상대방이 자신의 해석에 복종하기를 강요합니다. 이때 자신의 명령을 거부하는 몸이나 감정을 발견하면, 그 즉시 욕망은 그것의 존재를 부정하려 합니다. 순수지선의 다 좋은 세상은 사라지고 전쟁의 비극이 발생하게 됩니다.

장재도 이러한 욕망의 왜곡을 다음과 같이 이야기합니다.

> [6-9-15 『완역 성리대전』]
> 必物之同者, 己則異矣. 必物之是者, 己則非矣.
>
> 남이 (반드시 나와) 같아지기를 요구한다면, 자신이 남다름을 세우려는 것이다. 남이 (반드시) 올바르도록 요구한다면 자신이 그른 것이다.

'나'와는 다른 것이 '나'와 같아지기를 강제하는 것 그리고 '남'에게 내가 생각하는 올바른 것을 강요하는 것이 가장 대표적인 욕망의 왜곡입니다. 그러나 이 말을 오해해서는 안 됩니다. '나'와는 다른 것에 대해서 관심을 갖지 말라는 뜻이 절대 아닙니다. '남'이 '나'와 동일하기를 바라는 것, 이것을 퇴계는 '인물위기지병'(認物爲己之病)이라 합니다. '나'와는 다른 '남'을 배려하지 않는 것입니다. '남'이 '나'와 다르다는 이유로 '남'에게 아무 관심을 두지 않는 것, 이것을 퇴계는 '망탕무교섭지환'(莽蕩無交涉之患)이라 합니다. 욕망의 왜곡으로 인해 정신에 병환(病患)이 발생한 것입니다.

이 문제를 바로잡는 방법은 이미 앞에서 충분히 논의하였습니다. 신을 향한 지적인 사랑을 최상의 행복으로 추구하는 자기 본래의 욕망을 따르는 것입니다. 모든 몸의 현상과 감정의 현상에 나아가 그 각각에 고유한 본성의 필연성을 배우는 것입니다. 욕망이 이러한 방식으로 배우는 한에서 욕망은 자신과 무한히 다른 몸과 감정을 절대적으로 존경합니다. 왜냐하면 욕망 스스로 자신의 이성에 기초하여 모든 현상을 영원의 필연성으로 이해하기 때문입니다. 욕망에게 모든 몸과 감정의 현상은 신의 몸과 감정입니다. 욕망의 왜곡은 욕망 스스로 고칩니다. 마음의 정신력이 자신의 욕망을 구원합니다.

2. 兼愛: 자기를 버려두는 사사로움
겸 애

욕망이 자기를 왜곡시킴으로써 발생하는 또 다른 문제는 '사랑'을 '감각적인 행동'으로 잘못 이해하게 된다는 것입니다. 엄격히 말해서 사랑은 '지적인 사랑'입니다. 모든 현상을 감각적으로 해석하지 않고 그에 고유한 영원의 필연성으로 배워서 이해하는 것이 참된 사랑입니다. 사랑한다는 것은 배운다는 것입니다. 배운다는 것은 이해한다는 것입니다. 이해한다는 것을 영원의 필연성을 확인한다는 것입니다. 영원의 필연성을 확인한다는 것은 우연성이나 가능성이 존재하지 않는다는 것을 확인하는 것입니다. 모든 것은 영원의 필연성으로 결정된 것이므로 우리가 이에 대한 이해를 분명하게 하는 한에서 우리는 자포자기에 빠지기 보다는 자기이해를 따라서 사는 자유를 누리게 됩니다.

자기이해를 따르는 자유는 모든 것을 영원의 필연성으로 배워서 이해하는 것입니다. 이 이해의 순간, 정신은 절대적인 능동이며, 그러한 한에서 온전한 자유임과 동시에 최고의 완전성으로 존재합니다. 신의 정신이 지금 자신의 정신으로 발현되고 있다는 성스러운 순간을 마주하는 것입니다. 우리가 이 정신으로 살아갈 때, 사랑에 대한 정의는 행동이 아니라 인식에 있다는 것을 이해할 수 있습니다. 왜냐하면 신의 정신으로 살아간다는 것은 절대적으로 생명과 사랑이기 때문입니다. 이 '지적인 사랑'은 생명과 사랑을 어기는 그 어떤 행동을 하지 않습니다. 지적인 사랑이 진정으로 우리를 자유롭게 하는 힘이 여기에 있습니다.

[6-9-16 『완역 성리대전』]
能通天下之志者, 爲能感人心. 聖人同乎人而無我, 故和平天下, 莫盛於感人心.

천하 사람의 뜻에 통할 수 있는 이는 다른 사람의 마음을 감동시킬 수 있다. 성인은 다른 사람과 같아져서 '나'라는 것이 없다. 그러므로 천하를 화평하게 하는 데에는 다른 사람의 마음을 느끼는 것보다 더 훌륭한 것이 없다.

"성인은 다른 사람과 같아져서 '나'라는 것이 없다."는 것은 나의 주관적인 해석이나 의견이 없다는 뜻입니다. '나'라는 존재가 없다는 뜻이 절대 아닙니다. '나'를 희생한다는 뜻도 전혀 아닙니다. 지적인 사랑 속에서 '나'는 신의 정신과 마음으로 존재하는 성스러운 사람 (聖人)입니다. 이 사람은 '나'를 강요하지도 않으며 '남'에게 무관심하지도 않습니다. '나'와는 무한히 다른 '남'을 배워서 영원의 필연성으로 사랑하는 것입니다. 이 사랑 안에서 '나'와 '남'은 서로 다르지 않습니다. 본래부터 영원의 필연성으로 신의 몸과 정신 안에서 '하나'입니다. 이 지점에서 우리는 겸애(兼愛)의 비극으로부터 우리 자신을 구원할 수 있습니다.

　사랑 안에서 자기 자신이 사라진 사랑이 '겸애'(兼愛)입니다. 그러나 자기 스스로 자기의 진실을 이해할 때, 자기는 '신' 자체로 존재하며 동시에 자연 전체와 본래 하나입니다. 이 이유로 자기를 사랑(이해)하는 것이 남을 사랑(이해)하는 것이며, 자연을 사랑(이해)하는 것입니다. 왜냐하면 자기의 진실은 자연의 모든 것을 자기 안에 본래부터 품고 있는 '신'이기 때문입니다. 그러나 여기에서 절대 오해하면 안 됩니다. 자신이 '신'으로 존재한다고 할 때, 이 말이 뜻하는 바는 자기 몸이나 감정의 현상이 '신'으로 존재한다는 뜻이 절대 아닙니다. 자기 스스로 자기 진실을 이해할 때, 자기 본래의 진실이 '신' 그 자체라는 뜻입니다. 자기의 '자기이해'가 분명할 때, 자신의 모든 현상이 신과 본래 하나인 신의 축복 속에 있다고 말할 수 있습니다.

　이 말이 분명한 사람은 자연 전체와 자신이 본래 하나라는 진리를 이해합니다. 이렇게 자기의 진실을 이해하는 사람은 절대적으로 자신의 감정 및 다른 이의 감정에 대해서 함부로 하지 않습니다. 무한한 방식으로 무한히 새로운 감정은 절대적으로 몸의 생김에 고유한 영원의 필연성을 본성으로 갖기 때문에 감정에 대한 이해를 현상이 아닌 그 자체의 본성으로 형성하는 한에서 우리는 절대적으로 감정을 존중합니다. "천하를 화평하게 하는 데에는 다른 사람의 마음을 느끼는 것보다 더 훌륭한 것이 없다."라고 장재가 말하는 이유입니다. 다른 사람의 마음은 사실상 다른 사람의 감정입니다. 이 감정을 느낀다는 것은 감정의 존재를 부정하지 않는다는 것입니다. 이때의 방법은 감정을 해석하지 않고 그 자체의 본성으로 배워서 이해하는 것입니다.

이 배움이 참된 사랑입니다. 그래서 장재는 다음과 같이 말합니다.

[6-9-26 『완역 성리대전』]
愛人, 然後能保其身. … 能保其身, 則不擇地而安.不能有其身, 則資安處以置之 不擇地而安, 蓋所達者大矣. 大達於天, 則成性成身矣.

다른 사람을 사랑하고 난 후에야 자기 몸을 보전할 수 있다. … 자기 몸을 보전할 수 있게 되면 장소를 가릴 것 없이 편안하다. 자기 몸을 둘 수 없으면 편안한 곳에 의지함으로써 자신을 두게 된다. 장소를 가리지 않고 편안한 것은 통달한 것이 크기 때문이다. 하늘의 이치에 크게 통달하면 본성을 이루고 몸도 완성하게 된다.

"다른 사람을 사랑하고 난 후에야 자기 몸을 보전할 수 있다."라고 말했습니다. 이 사랑은 겸애(兼愛)가 아닙니다. 이것은 그 다음에 이어지는 문장에 근거하여 확실합니다. "자기 몸을 보전할 수 있다."라고 했습니다. 절대적으로 자기가 사라지지 않습니다. 남을 사랑하는 것이 왜 자신의 몸을 보존하는 것일까요? 자기 몸의 진실이 영원무한의 생명과 사랑 그 자체인 신의 몸이라는 사실이 분명할 때, 자연의 모든 몸이 자기와 본래부터 하나의 몸입니다. 이 사실에 입각하여 자기는 자연의 모든 몸에 나아가 그것의 본성을 영원의 필연성으로 이해할 수 있습니다. 이 이해가 다른 사람을 사랑하는 것이며, 크게는 자연 전체를 진실로 사랑하는 것입니다.

다음으로 "자기 몸을 보전할 수 있게 되면 장소를 가릴 것 없이 편안하다."고 했습니다. 자기 몸의 진실이 영원무한이기 때문에 자기는 그 어떤 공간과 시간에 갇히지 않는다는 뜻입니다. 모든 공간과 시간을 초월한다는 뜻이 아닙니다. 영원무한의 생명과 사랑이기 때문에 모든 공간과 시간에 처함으로써 자신의 생명과 사랑에 고유한 진실을 즐길 수 있다는 뜻입니다. 왜냐하면 자신이 처한 공간과 시간에 상관없이 자기의 영원한 진실은 영원무한의 생명과 사랑이며, 이 진실에 근거하여 자기는 공간과 시간 속에서 만나는 모든 것을 영원무한의 생명과 사랑으로 배워서 이해하기 때문입니다. "장소를 가리지 않고 편안한 것은 통달한 것이 크기 때문이다."라고 말한 이유입니다.

통달한 것이 크다는 것은 무슨 뜻일까요? 자기 생명의 진실을 깨달았다는 뜻입니다. 자기의 현상은 우주의 먼지 보다 작습니다. 그러나 자기의 진실은 우주 전체인 '신' 그 자체입니다. 장재는 이 사실을 "하늘의 이치에 크게 통달하면 본성을 이루고 몸도 완성하게 된다."라고 말함으로써 확인합니다. 오직 하늘만이 자신의 이치를 이해합니다. 왜냐하면 하늘은 단 하나의 실체이며 신이기 때문입니다. 하늘(자연) 자신 이외 그 어떤 것도 영원무한의 하늘(자연)에 대한 이해를 형성할 수 없습니다. 그러나 우리의 정신은 자기 사유의 필연성을 따라서 생각함으로써 영원의 필연성을 자기이해 안에서 명백하게 이해합니다. 이것으로 자신의 몸과 마음이 본래부터 신의 몸과 마음으로 존재한다는 사실을 이해합니다. 이 이해가 자연 전체를 신의 본성으로 이해하는 방법입니다.

그러므로 자기 스스로 자기를 부정하며 자기 이외 다른 것을 긍정하는 '겸애'(兼愛)는 욕망이 자기 기능을 제대로 발휘하지 못함으로써 발생하는 욕망의 왜곡입니다. 정신이 자기 본래의 진실을 이해하면 정신은 오직 자기 진실만을 이해하기를 욕망합니다. 정신과 욕망이 서로 다르지 않습니다. 정신이 자기 본질인 욕망으로 자신과 자연을 이해할 때, 정신은 평화와 사랑의 정신으로 존재합니다. 전쟁의 정신으로 변질되지 않을 뿐만 아니라 심지어 자신이 전쟁 정신의 한가운데 있다고 하여도 자기 스스로를 구원합니다. 이 구원으로 정신은 자기 본래의 몸인 '신의 몸'으로 살아갑니다. 이때 비로소 몸으로 생겨나서 몸으로 살아가는 것이 얼마나 큰 축복인지 이해합니다.

3. 不思不學: 익숙한 것에 대한 집착
　불사불학

유교 문화의 학문을 이해할 수 있는 기본 경전 가운데 하나는 『대학』입니다. 이 경전은 여러 가지 중요한 논점을 가지고 있지만, 그 가운데 가장 중요한 것은 '신'(新)과 '친'(親)입니다. 중국 남송 시대 주자는 신민(新民)을 강조하는 반면, 명 시대 양명은 친민(親民)을 강조합니다. 그러나 우리 자신의 감정에 근거하여 우리 스스로 생각해 보면, 감정의 진실은 '친'(親)이 아니라 '신'(新)입니다. 우리는 매 순간 무한한 방식으로 무한한 감정을 느끼며 경험합니다. 우리 자신의 감정도 매순간 무한히 새롭습니다. 우리가 만나는 사람들의 감정도 그렇습니다. 동시에 자연 전체의 진실이기도 합니다. 일례로 지구의 자전이나 공전을 비롯해서 사계절의 순환 및 그에 따른 자연 전체의 변화는 무한히 새롭습니다.

문제는 우리가 무한히 새로운 것을 감당하기 어려울 때입니다. 갑자기 사고를 당하거나 병에 걸리는 것도 내 몸의 새로운 변화입니다. 죽음을 앞 둔 내 몸도 새로운 변화입니다. 좋다고 판단한 것이 지속되기를 바라지만 시간이 조금 흐르면 좋은 것은 사라지고 좋지 않은 것이 우리를 찾아옵니다. 이때 양명의 친민(親民)을 강조하게 되면, 우리는 새로움을 부정하려 합니다. 친한 것과 계속해서 친해지기를 바라게 됩니다. 그러나 몸의 진실은 무한한 방식으로 무한히 변화하는 것이기 때문에 그런 바람은 사실상 억지에 가깝습니다. 그렇다면 우리는 감당하기 힘든 새로움 앞에서 자포자기로 살아야 하는 것일까요? 이 물음에 대한 답이 주자의 신민(新民)입니다.

새로움은 무한한 방식으로 무한하기 때문에 지금 이 순간에 이어서 어떤 새로움이 우리를 찾아올지 아무도 알 수 없습니다. 이 생각은 우리로 하여금 공포심을 느끼게 합니다. 불안과 우울 등과 같은 감정을 느끼게 됩니다. 이런 감정들로부터 자유로워지기 위해서 우리는 종종 용하다는 점쟁이를 찾아갑니다. 이 역시 자신의 행복을 위해서 취하는 노력이지만, 여기에는 근본적인 한계가 있습니다. 그것은 바로 생각하지 않고 배우지 않는 불사불학(不思不學)의 문제입니다. 갑자기 나에게 찾아온 새로움 또는 나를 불안하게 하는 미래의 새로움 앞에서 우리는 우리 자신의 자유를 상실하게 됩니다. 그 대신 점쟁이의 아바타가 됩니다. 그들이 하는 말을 맹목적으로 믿고 따라야 합니다. 과연 행복할 수 있을까요? 건강한 정신이라고 할 수 있을까요?

우리는 삶의 어느 순간 감당하기 어려운 새로운 변화를 겪을 때가 있습니다. 그와 동시에 미래의 어떤 새로움이 나를 엄습할지 몰라서 두려움에 떠는 순간이 있습니다. 그러나 이 모든 순간을 나는 나의 몸으로 살아갑니다. 지금 내가 겪는 새로움은 엄밀히 말해서 지금 나의 몸이 겪는 새로움입니다. 미래의 새로움도 마찬가지입니다. 우리 스스로 이 사실을 확인한다면, 우리가 지금 현재 겪고 있는 새로움 또는 미래의 예상되는 새로움에 대해서 느끼는 불안은 몸의 진실에 의해서 해소됩니다. 몸의 진실로 존재하는 영원의 필연성은 '생명'과 '사랑'입니다. 이 사실 안에서 몸의 새로움을 배워서 이해할 때, 우리는 몸의 새로움을 생명과 사랑으로 확인하고 안심할 수 있습니다.

우리는 얼마든지 새로움에 대해서 불안을 느끼며 걱정할 수 있습니다. 이 감정 자체도 영원의 필연성으로 존재하기 때문에 부정할 수 없습니다. 그러나 불안과 걱정의 감정을 느낀다고 해서 우리의 삶을 불안과 걱정으로 가득 채우는 것은 또 다른 문제입니다. 왜냐하면 그러한 방식으로 살기를 바라지 않는 감정 또한 영원의 필연성으로 존재하기 때문입니다. 이때 과거의 편안하고 익숙한 것을 집착하면 더 큰 불행에 놓이게 됩니다. 왜냐하면 삶의 모든 순간은 미래가 현재로 찾아오고 이것은 다시 과거로 흘러가기 때문입니다. 사실 이런 생각은 새로움 앞에서 생각하지 않고 배우지 않는 불사불학(不思不學)의 비극으로 인해 발생합니다. 새로움 앞에서 이전의 친함을 욕구하는 것은 욕망의 왜곡입니다.

장재는 다음과 같이 우리를 위로합니다.

[6-9-30 『완역 성리대전』]
君子之道達諸天, 故聖人有所不能. 夫婦之智涸諸物, 故大人有所不與.

군자의 도는 하늘에 통달하는 것이니, 그러므로 성인에게도 하지 못하는 것이 있다. 평범한 부부의 지혜는 사물에 섞여 있는 것이니 그러므로 대인에게도 관여하지 않는 바가 있다.

"군자의 도는 하늘에 통달하는 것이니"라고 말했습니다. 인간 정신은 자기 사유의 '자기이해' 안에서 자기 생명의 진실을 이해합니다. 이 이해로부터 영원무한의 생명과 사랑을 향한 믿음은 확고부동합니다. 자기와 자연 전체의 진실이 영원의 필연성으로 생명과 사랑 안에 있습니다. 이 믿음이 분명한 사람은 자신과 자연 전체의 무한 변화를 믿음으로 배웁니다. 이 사실을 "그러므로 성인에게도 하지 못하는 것이 있다."라고 확인합니다. 성인(聖人)은 미래의 새로움을 점치는 점쟁이가 아닙니다. 이런 것은 성인(聖人)이 하는 일이 아닙니다. 영원의 필연성 안에서 무한 새로움을 생명과 사랑으로 배워서 이해함으로써 모든 새로움이 순수지선임을 이해하는 사람이 '성인'입니다.

다음으로 "평범한 부부의 지혜는 사물에 섞여 있는 것이니"라고 말했습니다. 여기에서 부부(夫婦)를 눈에 보이는 감각적 현상으로서 부부로 이해해서는 안 됩니다. 감정과학의 논리에 근거하여 우리가 생각하면, 부부는 내 몸의 생김에 고유한 본성으로 존재하는 '엄마아빠'입니다. 이 두 분은 나에게 생명과 사랑을 나누어주신 '부부'입니다. 나의 몸-생김에 관한 한 엄마아빠이지만, 엄마아빠는 영원의 필연성으로 사랑하기 때문에 영원한 사랑으로 존재하는 '부부'입니다 이 부부는 결과에 대한 원인의 필연성을 뜻합니다. 그러한 한에서 이 부부는 자기 존재에 관하여 자기가 원인인 '자기원인'이며, 이로부터 영원무한의 생명과 사랑입니다.

이 부부는 단 하나의 실체로 존재하는 생명과 사랑이며, 이 부부로부터 자연의 모든 몸이 무한히 생겨납니다. "평범한 부부의 지혜는 사물에 섞여 있는 것이니"라고 말한 이유입니다. 평범하다는 것은 이 부부로부터 자연의 모든 것이 생겨나기 때문이며, 이 부부의 지혜는 오직 생명과 사랑입니다 이것이 사물에 섞여 있다고 했으므로, 모든 것은 영원무한의 생명과 사랑에 의해서 생겨나고 활동한다는 사실을 확인합니다. 이로부터 "그러므로 대인에게도 관여하지 않는 바가 있다."가 뜻하는 것이 무엇인지 쉽게 알 수 있습니다. 생명과 사랑의 부부는 영원의 필연성으로 존재하는 단 하나의 실체이므로 우리가 이 부부를 생각으로 이해하며 자연만물에 나아가 배우면, 이것으로 우리는 모든 새로움을 안심하며 행복으로 누릴 수 있게 됩니다. 몸으로 생겨나서 몸으로 살아가는 우리 모두의 진실이며 동시에 자연의 진실입니다. 어느 특정된 사람(大人)이 하는 것이 아닙니다.

4부. 인간의 예속에 관하여

1장. 의지력에의 예속

1. 意志의 오류
의 지

여기에서는 3부 3장에서 다룬 '욕망의 왜곡'으로부터 구체적으로 파생되는 정신의 병환(病患)이 무엇인지 세 가지 주제로 살펴보겠습니다. 1장 「의지력에의 예속」, 2장 「감각적 현상에의 예속」, 그리고 3장 「악(惡)에의 예속」이 그것입니다. 여기에서 우리는 '예속'이라는 표현에 주의를 기울일 필요가 있습니다. 이 단어가 뜻하는 바는 진실로 존재하지 않는 것을 존재한다고 마음이 잘못 생각하고 있는 인식 오류의 상태입니다. 더 나아가 이 오류로부터 '이해를 형성했다.'는 착각을 뜻합니다. 존재하지 않는 것을 존재한다고 생각함으로써 그에 의존하여 그에 대한 이해를 형성했다는 억지가 예속입니다.

이 주제는 우리의 일상에 나아가 생각해 보면 쉽게 이해할 수 있습니다. 어떤 사람이 극악무도한 짓을 저질렀다고 상상해 봅시다. 우리는 이런 소식들을 종종 듣습니다. 우리는 이런 행동들을 근거로 인간 본성 가운데 악도 존재한다고 주장하며, 이로부터 인간 세상의 비극을 주장합니다. 그러나 감정과학에 의하면 이런 주장이 정신의 예속 상태입니다. 왜냐하면 존재 자체의 진실은 영원무한의 필연성으로 순수지선이기 때문입니다. 이 주제는 1부에서부터 3부에 이르기까지 집중적으로 검토하였으므로 여기에서 다시 다루지 않습니다. 중요한 것은 몸의 생김과 놀이를 일관하는 진실은 영원무한의 필연성으로 순수지선입니다. 우리가 이 사실을 인식하면, 진실로 존재하는 것은 영원무한의 생명과 사랑입니다.

우리가 이 사실을 영원의 필연성으로 확인하면, 생명과 사랑을 어기는 잘못된 행동은 진실로 존재하는 것이 아닙니다. 그렇기 때문에 진실로 존재하지 않는 행동을 하는 존재 또한 진실로 존재하지 않는 것이 분명합니다. 이점을 명확히 이해하면, 우리는 다음과 같은 질문에 답할 수 있습니다. '지금 우리 눈앞에 벌어지는 살인이나 폭력 및 자살 같은 비극은 무엇인가?' 이 질문에 대한 답은 다음과 같습니다. 영원의 필연성으로 생명과 사랑 안에서 몸이 생겨나고 놀이하기 때문에 우리의 마음이 자신의 감정 및 자신이 경험하는 감정에 나아가 그에 고유한 본성을 영원무한의 생명과 사랑으로 확인하지 못하면, 그로 인해 그러한 비극이 발생합니다. 진리의 필연성을 생각하지 않음으로써 자연의 진실을 배우지 않는 불사불학(不思不學)의 비극으로 인해 정신은 예속 상태에 빠집니다.

이 주제를 논하기 전에 우리는 한 가지 분명한 사실을 다시 확인할 필요가 있습니다. 장재는 다음과 같이 말합니다.

[5-4-4 『완역 성리대전』]
天下之動, 神鼓之也; 辭不鼓舞, 則不足以盡神.

세상의 움직임은 신(神)이 고동친 것이고, 말이 고무되지 않은 것은 신(神)을 충분할 정도로 다하지 않은 것이다.

"세상의 움직임은 신(神)이 고동친 것이고"라고 말했습니다. 매우 중요합니다. 자연을 구성하는 모든 몸의 생김과 놀이는 영원의 필연성으로 '신'(생명과 사랑) 안에 존재합니다. 신의 몸에 의해서 자연의 모든 몸이 생겨나며, 신의 감정에 의해서 자연의 모든 감정이 생겨납니다. 그렇기 때문에 자연에 대한 바른 말은 자연의 현상에서 나오지 않고 신에 대한 분명한 인식에 나옵니다. 자연의 모든 것들을 그 각각에 고유한 본성의 필연성으로 이해하고 설명하는 것입니다. 이것이 자연에 대한 올바른 말입니다. "말이 고무되지 않은 것은 신(神)을 충분할 정도로 다하지 않은 것이다."라고 말한 이유입니다. 모든 것이 신 안에서 생겨나고 활동한다면, 신을 다한다는 것은 이 사실을 이해하는 것 이외 없습니다.

우리가 이 사실을 확인하면, 인간의 예속에 대한 장재의 이해를 확인할 수 있습니다.

[5-4-11 『완역 성리대전』]
大可爲也, 大而化不可爲也, 在熟而已. 『易』謂"窮神知化", 乃德盛仁熟之致, 非智力能強也.

큰 것은 할 수 있지만 '커서 화(化)하는 것'은 할 수 없으니, 숙련됨에 달려 있을 뿐이다. 『역』에서 "신(神)을 궁구하고 화(化)를 알 수 있다."라고 한 것은 덕의 왕성함과 인의 숙련됨이 이룬 것이지, 지혜와 힘으로 강하게 할 수 있는 것이 아니다.

"덕의 왕성함과 인의 숙련됨이 이룬 것이지, 지혜와 힘으로 강하게 할 수 있는 것이 아니다."라고 했습니다. 인간의 행복과 자연에 대한 참다운 인식은 절대적으로 '의지력'에 달려 있지 않다는 것을 확인합니다. "非智力能强也(비지력능강야)."에서 지력(智力)을 '판단력'으로 이해해도 좋습니다. '판단'은 '알았을 때' 할 수 있는 것입니다. 그런데 이때의 '알았다.'는 것이 과연 신의 존재 및 그 본성에 고유한 본성의 필연성인지 여부는 반드시 확인해야 합니다. 이미 앞에서 "窮神知化(궁신지화)"를 언급했기 때문에 이때의 지(智)는 신에 고유한 영원의 필연성을 향한 인식이 아니라는 것을 알 수 있습니다. 따라서 지력(智力)은 의지력이나 판단력입니다. 인식으로서 지(知)는 힘(力)으로 하는 것이 아닙니다. 장재는 "非智力能强也(비지력능강야)."을 주장함으로써 신의 인식 및 행복은 불가능하다는 것을 밝혔습니다.

그러므로 신을 향한 인식으로부터 누리게 되는 자연에 대한 참다운 인식 및 자신의 행복은 절대적으로 '의지'나 '억지' 같은 것으로 얻을 수 없습니다. 자기 스스로 자기 몸에 나아가 자기 몸의 진실을 영원의 필연성으로 이해할 때, 이 이해가 곧 신을 향한 지적인 사랑입니다. 오직 이 사랑 안에서 자연의 모든 사물을 배울 때 자기는 최고의 행복을 최고의 완전성으로 누리게 됩니다. 인간의 정신이 이 배움(감정과학)을 연마하지 않으면, 그 즉시 욕망이 왜곡됩니다. 그로 인해 자신의 소중한 삶을 의지력이나 판단력으로 살아가게 됩니다. 이미 자신은 최고의 행복 속에 있음에도 불구하고 행복에 대한 잘못된 인식으로 인해 행복을 밖에서 구하는 의지력으로 살아가는 것입니다.

2. 修養論의 오류
수 양 론

자기 존재의 진실을 제대로 이해하지 못하면, 그 즉시 자기는 판단력과 의지력으로 세상을 살 수밖에 없다는 거대한 착각에 빠집니다. 자기이해의 배움을 연마하지 않고, 환상의 미래 속에 허상으로 그려진 가짜 행복을 쫓아갑니다. 그들은 우리에게 두 개의 눈이 있는 것과 같이 두 가지 생각을 하라고 강요합니다. 하나의 생각은 자신의 겉모습 같은 현상을 보라고 합니다. 이 현상을 자신의 현실로 받아들이라고 합니다. 동시에 그에 대한 자신의 불만족에 눈을 뜨라고 합니다. 또 다른 생각은 전혀 만족스럽지 못한 현실과 정반대되는 미래의 꿈꾸는 환상의 자기 모습을 상상하라고 합니다. 모든 조건과 환경이 완벽하게 갖추어진 자신의 미래 모습에 눈을 뜨라고 합니다.

판단력과 의지력으로 살아가는 사람들은 이 두 개의 눈으로 살아야 한다고 강조합니다. 이 둘 사이, 즉 '처절한 현실'과 '환상의 미래' 사이에 놓인 간격을 좁히기 위해서 최선의 노력을 하라고 합니다. 이렇게 말함으로써 그들은 우리들에게 언젠가 꿈꾸는 미래가 현실이 되어 있을 것이라는 이상을 심어줍니다. 그러나 달콤하게 들려오는 그들의 주장은 사실상 욕망의 왜곡에서 비롯된 정신의 병환일 뿐입니다. 왜냐하면 그들의 주장은 인간 정신이 자신의 행복을 위해서 반드시 알아야 하는 것을 철저히 은폐하기 때문입니다. 그들은 우리로 하여금 최고의 행복이 최고의 완전성으로 이미 우리 안에 주어져 있다는 사실을 알지 못하게 합니다.

우리는 종종 성공 사례를 듣습니다. 두 개의 눈으로 열심히 산 결과 자수성가하게 되었다는 것입니다. 이러한 성공담은 수많은 사람들을 두 개의 눈으로 살아가도록 강제합니다. 그러나 자포자기에 빠진 수많은 사람들과 지금 이 순간 자살을 결심하는 사람들을 우리는 어떻게 해야 합니까? 이 비극은 극소수의 운 좋은 사람들의 성공 사례를 보편화시킨 결과입니다. 여기에는 두 가지 치명적인 문제점이 있습니다. 두 개의 눈으로 살아가는 우리가 이 둘 사이의 간격을 좁히기 위해서는 반드시 의지력을 길러야 합니다. 이 거대한 과제가 우리 앞에 주어지지만, 우리의 성공은 엄밀히 말해서 의지력이 아닌 운수대통입니다. 우리를 위해서 행운의 여신이 보내는 미소가 필요합니다.

두 개의 눈으로 현실과 미래를 보면서 이 둘 사이에 놓인 심연에 다리를 놓는 의지력을 길러야 한다는 주장이 '수양론'(修養論)입니다. 그래서 수양론은 지금의 행복을 말하지 않습니다. 행복을 미래에 둡니다. 그러나 이런 주장들로 인해 온갖 사기와 미신이 횡행합니다. 이 둘 사이의 간격은 의지력으로 좁혀지지 않습니다. 거기에는 '플러스 알파'가 필요합니다. 우리가 알지 못하는 어떤 초월적인 존재가 우리의 노력을 가상히 여겨 우리의 성공을 위해 '신의 한수'를 주어야 합니다. 이 지경에 처하면 우리는 우리 자신의 행복을 스스로 확보할 수 없습니다. 신에게 한수를 달라고 말할 수 있는 어떤 매개체에 의지해야 합니다. 이로부터 온갖 미신과 술수가 등장하게 됩니다.

의지력과 판단력을 강조하는 사람들은 '수양론'으로 자신의 주장을 포장하지만, 결국 '신비주의'로 끝납니다. 이는 우리가 전혀 상상하지 못한 것입니다. 신을 향한 명백한 인식에는 신비주의 같은 것이 절대 있을 수 없습니다. 신을 향한 인식을 실질적으로 자기 본질을 향한 자기이해입니다. 여기에 영원무한의 생명과 사랑이 있습니다. 그러나 신에 대한 인식 대신 감각적 현상에 의존하여 생각하면, 이 생각은 끝내 신비주의에 빠집니다. 조금 전에 언급한 자포자기에 빠져서 급기야 자살을 결심한 분들이 이 모든 거짓말들의 피해자입니다. 이분들은 자신의 의지력을 탓하기 보다는 하늘이 자신을 도와주지 않았다고 생각합니다.

그들은 분명 두 눈으로 살자고 했습니다. 이것이 행복으로 방법이라고 했습니다. 그러나 두 눈 사이의 거리는 점점 멀어집니다. 마치 무지개를 향해 다가가면 다가갈수록 멀어지는 것처럼 자신이 꿈에 그린 행복도 그렇게 멀어집니다. 이렇게 살아가면 결국 최후의 수단은 두 눈을 감는 것입니다. 이것이 자포자기입니다. 그러나 자기는 여전히 처절한 현실을 살아갑니다. 두 눈을 감지만 여전히 두 눈을 뜨고 있습니다. 이 모순적인 상황에서 자포자기는 결국 자살을 결심합니다. 자기를 괴롭게 하는 '두 눈'을 없애겠다는 결정입니다. 이 모든 비극은 두 눈으로 살아야 한다는 의지력과 수양론을 주장하는 그들에 의해서 발생합니다. 그들로 인해 수많은 선한 사람들이 자기 본래의 행복을 알지 못합니다.

장재는 이 모든 비극을 해소하기 위해서 다음과 같이 말합니다.

[5-4-12 『완역 성리대전』]
"大而化之", 能不勉而大也, 不已而天, 則不測而神矣.

"커서 화(化)하는 것"은 힘쓰지 않고 크게 할 수 있는 것이니, 끊임

없이 수양하여 천과 하나가 된다면 헤아릴 수 없는 신(神)의 경계에 이를 것이다.

"大而化之(대이화지)"의 대(大)는 자기 겉모습이 비록 우주 먼지 같이 초라해 보여도 자기 실상은 영원무한의 생명과 사랑이라는 사실을 확인합니다. "能不勉而大也(능불면이대)"에 근거하여 분명합니다. 자기 존재의 진실은 의지력으로 실현하는 것이 아니라 자기이해 안에서 자명하게 확인한다고 이미 앞에서 확인했습니다. 의지력으로 수양 등과 같은 것을 억지로 하지 않아도[不勉], 얼마든지 자기는 자기 진실인 영원무한의 생명과 사랑[大]을 이해합니다[能]. 그렇기 때문에 "大而化之"의 화(化)는 자기이해가 확인하는 자기 진실을 통해서 자기 존재가 신의 몸에 의해서 존재하도록 결정되었다는 성스러운 존재임을 이해하는 것입니다. 이 이해로 '두 눈의 오류'는 흔적조차 없이 사라집니다.

다음으로 "不已而天(불이이천)"이라고 말했습니다. 이에 대한 번역은 "끊임없이 수양하여 천과 하나가 된다면"입니다. 이 번역은 전형적인 수양론자들의 오류입니다. 감정과학은 다음과 같이 번역합니다.

자기의 몸이 영원무한의 생명과 사랑으로 존재하는 신의 몸에 의해서 생겨나고 활동하도록 영원의 필연성으로 결정되었다는 사실을 이해하는 자기는[大而化之] 자기가 본래부터 단 한순간도 끊기거나 쉼이 없이[不已] 하늘(신)과 본래 하나로 존재하고 있다는 사실[天]을 이해한다.

위와 같은 번역은 아래에 제시된 인용에 근거하여 의심의 여지를 남기지 않습니다.

[5-4-13 『완역 성리대전』]
大幾聖矣, 化則位乎天德矣.

큼은 거의 성(聖)이니, 화(化)는 천덕에 자리 잡은 것이다.

화(化)는 "천덕에 자리 잡은 것이다."라고 했습니다. 자기 생명의 진실을 이해하는 것이 천덕(天德)이므로 화는 자기 생김과 놀이를 신의 본성 안에서 이해하는 것입니다. 이 사실을 자기 진실로 이해하는 사람은 "不測而神矣(불측이신의)"입니다. 신의 몸 안에서 무한한 몸이 생겨나고 신의 감정 안에서 무한한 감정이 생겨난다고 했습니다. 이 사실이 지금 자기의 진실임을 이해하는 사람은 영원무한의 사람입니다. 영원무한은 헤아릴 수 없는 불측(不測)입니다. 그러나 그 모든 것은 신 안에 있습니다. 그래서 "不測而神矣"이라고 말했습니다. 신은 오직 신에 의해서 이해된다는 사실에 근거하여 명백합니다.

그러므로 우리 자신이 그들의 거짓말에 속지 않고 스스로 행복을 확보하는 방법은 자기 진실을 자기 스스로 이해하는 것입니다. 그들은 '수양'을 강요하거나 주장함으로써 우리 스스로 우리의 행복을 책임질 수 있다고 현혹합니다. 그 속에는 우연과 가능을 결정하는 어떤 초월적인 존재가 있습니다. 물론 그런 것은 존재하지 않는 허상이지만, 그들은 철저히 이 거짓을 감춥니다. 이처럼 수양론을 주장하는 이들은 신비주의를 내세움으로써 혹세무민합니다. 수많은 선한 사람들을 수양론의 함정에 가두고, 그들에게 신의 한수를 받는 비밀을 가르쳐주겠다고 합니다. 선한 사람들은 반드시 그에 대한 비용을 그들에게 지불해야 합니다. 의지력과 수양론의 거짓말은 여기에 있습니다.

3. 不可知의 오류
　　　　불 가 지

수양론은 신비주의와 비밀주의로 수많은 선한 사람들은 현혹합니다. 수양론을 주장하는 이들은 신에 대한 우리의 인식을 불가지(不可知)로 규정합니다. 수양을 지속적으로 실천함으로써 겉모습의 변화나 행동의 변화를 이루면, 그것이 곧 우리 자신을 신과 가까워질 수 있게 하는 방법이라고 주장합니다. 그들은 얼마나 많은 사람들이 자신이 이룬 변화에 박수를 보내는지 그 총량을 따지면 수양의 성공을 판단할 수 있다고 주장합니다. 그러나 이러한 방식으로 행복과 성공을 이해하면, 앞에서 충분히 논의한 비극에서 벗어날 수 없습니다. 장재는 다음과 같이 말합니다.

> [5-4-15 『완역 성리대전』]
> 無我而後大, 大成性而後聖, 聖位天德不可致知謂神. 故神也者, 聖而不可知.

사욕이 없어진 다음에 커지고, 커서 성(性)을 이룬 다음에 성스러워지며, 성스러움이 천덕에 자리하여 앎을 지극히 할 수 없는 것이 신(神)이다. 그러므로 신(神)은 성스러워서 알 수 없다.

매우 중요하기 때문에 핵심 부분을 개별적으로 분석하겠습니다.

① 無我而後大(무아이후대)

: 무아(無我)는 자기 존재의 진실을 자기이해의 자명으로 확인한 것입니다. '사사로운 나(我)'는 없습니다[無我]. 이 사실을 확인하는 즉시 자기는 자기 존재의 영원무한을 이해합니다. 이것이 대(大)의 뜻입니다. 이렇게 자기 스스로 자기 존재의 진실을 이해하는 사람은 실질적으로 자기 몸이 신의 몸 안에서 생겨나고 활동하는 신성 그 자체인 성스러운 존재[大]임을 이해합니다.

② 大成性而後聖(대성성이후성)

: 자기 스스로 자기 존재의 진실을 이해하는 것이 곧 자기 본성의 필연성을 이해하는 것입니다[大成性]. 이 이해로부터 자기는 자연의 모든 몸과 그 모든 몸의 순간 변화로서 감정을 신의 본성에 고유한 영원의 필연성으로 배웁니다. 그 결과 자연 전체가 신의 몸으로 존재하고 있다는 성스러운 사실을 확인합니다[而後聖].

③ 聖位天德不可致知謂神(성위천덕불가치지위신)

: 자연 전체를 신의 본성으로 이해하는 것이 '聖位天德'입니다. 신의 몸이 자기 안에 품고 있는 자연의 모든 몸, 동시에 신의 감정이 자기 안에 품고 있는 자연의 모든 감정을 이해하는 성스러운 사람으로 살아가는 것이 '聖位天德'입니다. 이렇게 이해하면, '不可致知謂神'에 대한 번역을 신의 본성이나 본질을 향한 불가지(不可知)로 이해할 수 없습니다. 지금까지 전개한 모든 논의는 신을 향한 명백한 인식에 있습니다. 그렇기 때문에 '不可致知謂神'을 신을 향한 인식 불가능으로 이해할 수 없습니다. '의지력이나 판단력 같은 지력(智力)으로는 절대적으로 이해할 수

없는 것이 신(神)이다.'라고 이해해야 합니다. 참고로 이곳 1장에서 논한 「1. 의지의 오류」의 "非智力能强也(비지력능강야)."를 다시 확인해야 합니다. 우리에게 익숙한 인식론, 즉 의지력에 기초한 수양론자들이 주장하는 인식으로 절대 알 수 없는 것이 신(神)입니다.

④ 故神也者(고신야자), 聖而不可知(성이불가지).
: 그러므로 신(神)의 존재와 그에 고유한 본성은 성(聖) 그 자체의 본성일 뿐 감각에 기초한 경험이나 해석 같은 것으로 알 수 없습니다. 자기이해의 자명으로 확인한 자기 생명의 진실이 아니면 절대 알 수 없는 것이 신(神)에 고유한 본성으로서 성(聖)입니다. 이것은 감각지에 의지한 판단력이 자신의 거짓을 관철시키기 위해서 제시하는 '수양론'으로 절대 알 수 없는 것입니다. [이 주제는 이어지는 2장의 「2. 성심(成心): 고정관념의 오류」에서 확인할 수 있습니다.]

이상의 정리를 토대로 우리는 위의 인용을 감정과학의 언어로 다시 번역할 수 있습니다.

[5-4-15 『완역 성리대전』]
無我而後大, 大成性而後聖, 聖位天德不可致知謂神. 故神也者, 聖而不可知.
자기이해에 근거하여 자기 생명을 이해할 때, 자기는 영원무한의 생명과 사랑을 자기 생명의 진실로 확인한다. 그렇기 때문에 이 진실은 자기 몸에 고유한 본성의 필연성을 이해할 때 확인할 수 있다. 이것으로 자기는 자신의 성스러움을 확인한다. 성스러운 자기는 자연의 모든 몸을 자기이해와 동일한 방식으로 배워서 이해한다. 그것으로 자기는 신의 몸과 감정으로 본래부터 자기가 존재한다는 사실을 명백하게 이해한다. 그렇기 때문에 이 인식은 자기 몸을 감각적 현상으로 바라보며 해석하는 것으로는 절대 알 수 없는 것입니다. 따라서 신의 존재 및 그에 고유한 본성은 자기의 성스러움으로 배워서 이해하는 것이지 해석이나 판단력 등과 같은 것으로는 절대 알 수 없다.

신에 대한 인간 정신의 인식을 불가지(不可知)로 규정할 때, 신의 이름으로 온갖 거짓과 사기가 우후죽순처럼 인간 세상에 넘쳐납니다. 그렇기 때문에 우리가 해야 하는 일은 신에 대한 명백한 인식을 확립하는 것입니다. 신의 존재를 부정하거나 그에 대한 인식을 불가능으로 강요할 것이 아니라 신에 대한 명확한 인식이 우리 안에 본래 있다는 것을 사유의 자명함으로 확인하고 함께 배우는 것입니다. 자기 존재의 진실을 모르면 신의 존재를 자기 밖에서 구하게 됩니다. 그 즉시 불가지이며 신비주의입니다. 이로부터 자신과 세상의 불행이 발생합니다. 그렇기 때문에 이 모든 문제를 바로잡는 방법은 우리 모두가 자신의 몸에서 영원의 필연성을 이해하고 그것으로 신을 이해하는 것입니다.

2장. 감각적 현상에의 예속

1. 喪心: 不思의 비극
　　상심　　불사

　　우리는 몸으로 살아갑니다. 몸에는 눈이나 귀 등과 같은 감각기관이 있습니다. 몸은 자신의 감각기관으로 외부의 몸과 만남으로써 무한한 방식으로 무한하게 변화합니다. 이 변화에 대한 마음의 개념이 감정입니다. 몸의 변화도 감정이며 그와 동시에 마음의 개념 형성도 감정입니다. 그러나 이때 감정과학에 근거하여 감정을 이해하지 않으면, 마음은 자기의 감정이 외부의 몸에 의해서 결정되었다는 착각에 빠집니다. 마음이 자기 몸의 변화에 고유한 본성의 필연성을 명백하게 이해할 때, 마음은 더 이상 자신의 감정을 외부 원인에 의존하여 이해하지 않습니다. 따라서 중요한 것은 마음의 생각입니다. 마음은 '감정'을 감각적 현상으로 지각해서는 안 됩니다.

　　마음이 감정을 감각적 현상으로 이해하면, 그 즉시 마음은 감정을 외부 원인에 의존하여 이해합니다. 그러나 이 이해는 타당하지 않은 것입니다. 무엇보다도 우리가 몸의 생김에 고유한 본성의 필연성을 이해하는 한에서 몸은 자기 생김의 진실대로 놀이할 수밖에 없습니다. 마음의 인식에 상관없이 몸은 자기 본성 안에서 생겨나고 놀이합니다. 몸은 절대적으로 외부 원인에 의해서 결정되지 않습니다. 다음으로 몸 그 자체의 진실로부터 몸의 생김과 놀이에 대한 마

음의 올바른 이해는 당연히 몸의 본성에 근거하는 것입니다. 이 두 가지 이유에서 몸의 순간 변화인 감정에 대한 마음의 참다운 인식은 외부 원인에 의존하지 않는 것입니다. 그렇기 때문에 마음이 외부 원인에 의존하여 감정을 이해하는 것은 감각적 현상에 예속된 것입니다.

이 예속을 장재는 '상심'(喪心)이라 합니다.

[5-4-25 『완역 성리대전』]
'徇物' '喪心', '人化物而滅天理' 者乎! '存神過化', '忘物累' 而順性命者乎!

'외물에 따라' '마음을 잃는 것'은 '사람이 물화(物化)되어 천리를 없앤 것'이리라! '있는 곳은 신묘하고 지나간 곳은 교화가 된다.'라는 것은 '사물의 얽매임을 잊고' 성(性)과 명(命)을 따른 것이리라!

"'외물에 따라' '마음을 잃는 것'"이란, 마음이 자기 몸과 감정에 대한 이해를 감각적 현상으로 인식함으로써 그에 대한 원인을 외부에 두는 것입니다. 이러한 인식의 오류를 장재는 물화(物化)라고 합니다. 동시에 이것을 "滅天理(멸천리)"라고 부릅니다. 모든 몸과 감정은 영원의 필연성으로 결정되어 있다는 사실을 부정하는 것입니다. 그런데 원인을 자체의 본성이 아닌 외부에 두게 되면, 그 즉시 우연성과 가능성으로 생각이 진행됩니다. '너 때문에' 또는 '너만 아니면' 등과 같은 말이 생겨납니다. 그 결과 외부 원인을 소유하거나 부정하려는 욕망의 왜곡이 발생합니다. 그래서 장재는 성명(性命)을 따르라고 강조합니다. 모든 현상은 본성의 필연성 안에 있기 때문에 그에 대한 인식을 강조합니다.

상심(喪心)의 문제를 해결하기 위해서 장재는 대심(大心)을 제시합니다.

[5-7-1 『완역 성리대전』]

大其心, 則能體天下之物, 物有未體, 則心爲有外. 世人之心, 止於聞見之狹. 聖人盡性, 不以見聞梏其心, 其視天下無一物非我, 孟子謂‘盡心則知性知天’以此. 天大無外, 故有外之心不足以合天心. 見聞之知, 乃物交而知, 非德性所知, 德性所知, 不萌於見聞.

그 마음을 크게 하면 세상의 만물을 체인할 수 있는데, 만물이 아직 체인되지 않음이 있는 것은 마음에 밖(경계)이 있기 때문이다. 세상 사람들의 마음은 견문(見聞 : 보고 듣는 것과 같은 감각)의 좁음에 머무른다. 성인이 성(性)을 다하는 것은 견문(見聞)으로 그 마음을 묶지 않고, 세상에 하나라도 내가 아님이 없음을 보니, 맹자가 ‘마음을 다하면 성(性)을 알고 하늘을 안다.’라고 한 것은 이 때문이다. 하늘은 커서 밖이 없으므로 밖이 있는 마음은 하늘의 마음에 충분하게 합치되지 않는다. 견문의 앎은 바로 외물과 교류하여 아는 것이지, 덕성(德性)이 아는 것이 아니니, 덕성이 아는 것은 견문에서 싹트지 않는다.

매우 중요하기 때문에 중요 부분으로 나누어 살펴보겠습니다.

① 大其心(대기심), 則能體天下之物(즉능물천하지물)

: 자기(其) 스스로 영원무한의 필연성을 인식하는 ‘자기이해’(大)가 ‘대기심’(大其心)입니다. 왜냐하면 오직 이 마음만이 세상 모든 몸과 감정을 영원무한의 필연인 ‘물자체’(物自體)로 인식할 수 있기 때문입니

다. "能體天下之物"이라 했습니다. [이 주제와 관련하여 자세한 논의는 2부 3장, 2번 참조.]

② 物有未體(물유미체), 則心爲有外(즉심이유외)

: 정신이 자기 몸을 비롯해서 세상의 모든 몸을 물자체로 인식할 수 없는 것이 '物有未體'입니다. 감각적 현상으로 몸과 감정을 이해하는 것입니다. 장재는 그 원인을 '心爲有外'로 설명합니다. 마음이 자기이해가 아닌 외부(外)적으로 드러나는 감각적 현상 및 그에 대한 해석에 기초하여 잘못된 이해를 형성하는 것입니다.

③ 世人之心(세인지심), 止於聞見之狹(지어문견지협)

: '세상 사람들의 마음'이란 감정과학을 연마하지 않음으로써 불사불학(不思不學)에 빠진 마음을 뜻합니다. 이것은 세상 사람들을 비하하는 것이 아닙니다. 지금 우리 자신을 돌이켜 보면, 우리는 너무나 당연한 듯 감정을 외부 원인에 의존하여 이해하고 있습니다. 이것이 '心爲有外'인데, 이에 대한 구체적인 설명이 '止於聞見之狹'입니다. 마음이 듣기 또는 보기 같은 감각기관에 의존하여 몸과 감정을 감각적 현상으로 잘못 이해하는 것입니다. 이로 인해 마음은 불사불학에 빠집니다.

④ 聖人盡性(성인진성), 不以見聞梏其心(불이견문곡기심), 其視天下無一物非我(기시천하무일물비아),

: 성인(聖人)이란 세상 사람들과 다른 특별한 존재가 아닙니다. 평범한 사람이 자기 마음의 본성을 따라서 자기 진실에 대한 타당한 인식을 형성하고 그에 기초하여 자연 전체에 대한 타당한 이해를 형성할 때, 지극히 평범한 사람은 지극히 성스러운 사람입니다. 왜냐하면 모든 것이 신 안에서 생겨나며 활동한다는 사실을 영원의 필연성으로 이해하기 때

문입니다. 이것이 진성(盡性)입니다. 이렇게 배우며 이해하는 성인(聖人)은 감각적 현상을 부정하는 것이 아니라 그에 의존하여 생각하고 이해하지 않습니다. 왜냐하면 성인은 신의 몸과 신의 정신으로 존재하기 때문입니다. 감각적 현상에 나아가 그에 고유한 본성을 영원의 필연성으로 인식함으로써 그 현상을 순수지선으로 이해합니다. "세상에 하나라도 내가 아님이 없음을 보니(其視天下無一物非我)"라고 말한 이유입니다.

⑤ 孟子謂'盡心則知性知天'以此(맹자위'진심즉지성지천').
: 장재는 맹자를 인용함으로써 자신의 주장을 옹호합니다. 맹자는 "'마음을 다하면 성(性)을 알고 하늘을 안다.'"라고 말했습니다. 진심(盡心)은 자기이해이며, 지성(知性)은 자기 몸의 진실을 통해서 마음 스스로 자기 진실을 이해한다는 뜻입니다. 자기 몸이 신의 몸으로 존재한다면, 자기 마음은 신의 마음으로 존재합니다. 지천(知天)의 뜻입니다.

⑥ 天大無外(천대무외), 故有外之心不足以合天心(고유외지심부족이합천심).
: 하늘(神)은 단 하나의 실체입니다. 영원무한의 생명과 사랑은 단 하나이기 때문에 자기 밖에 그 어떤 것도 존재하지 않습니다. 이것을 '天大無外'라고 합니다. 마음이 신을 이해할 때 자기 자신이 신으로 존재하고 있다는 사실을 확인할 수 있는 근거입니다. 그러나 감각적 현상 같은 겉모습만으로 생각하고 판단하면, 절대적으로 신을 알 수 없습니다. 신에 의해서 생겨난 양태만을 바라볼 뿐입니다. 그래서 '밖이 있는 마음은 하늘의 마음에 충분하게 합치되지 않는다.(故有外之心不足以合天心)'라고 말했습니다.

⑦ 見聞之知(견문지지), 乃物交而知(내물교이지), 非德性所知(비덕성소

지),

: 감각적 현상으로 알았다고 판단하는 것이 '見聞之知'입니다. 인식의 오류입니다. 이 인식을 '오류'라고 부르는 이유는 이 인식은 반드시 알아야 하는 '신'을 이해할 수 없는 것으로 간주하기 때문입니다. 모든 것이 신의 본성에서 유래했다는 사실, 즉 모든 것은 자기 존재에 관하여 영원의 필연성을 본성으로 갖는다는 사실을 모르는 것입니다. 그렇기 때문에 '物交而知'는 물자체 인식이 아니라 외부 원인으로 이해하는 것입니다. 이것은 마음의 덕(德)이 아닙니다. 마음의 덕은 자기이해를 통해서 자기 몸 및 모든 몸에 나아가 그 자체의 본성인 신의 존재 및 그에 고유한 진실로서 생명과 사랑을 이해하는 것입니다.

⑧ 德性所知(덕성소지), 不萌於見聞(불맹어견문).

: 마음이 '자기이해'를 통해서 자기 몸을 비롯해서 자연의 모든 몸을 순수지선으로 이해하는 것이 덕성(德性)입니다. 그렇기 때문에 이 인식은 감각적 현상에 의존하는 '감각지'와 완전히 다릅니다. "덕성이 아는 것은 견문에서 싹트지 않는다."라고 말한 이유입니다.

이상의 분석을 장재는 다음과 같이 간단히 요약합니다.

[5-7-4 『완역 성리대전』]

人病其以耳目見聞累其心, 而不務盡其心, 故思盡其心者, 必知心所從來而後能.

사람들의 병통은 귀와 눈의 듣고 보는 것으로 마음을 묶어서 마음을 다하지 않으므로 마음을 다하고자 하는 자는 반드시 마음이 유래한 것을 안 다음에야 할 수 있다.

그러므로 가장 고귀한 것은 '마음의 생각'입니다. 몸은 본래부터 영원의 필연성으로 고귀합니다. 마음이 자기 안에서 자기 스스로 생각함으로써 자기 몸의 진실을 이해할 때, 마음은 자신의 존재를 신의 마음으로 이해합니다. 이 이해가 분명할 때 마음은 마침내 자기 몸의 진실을 참답게 이해합니다. 결국 자기가 자기를 이해함으로써 자기를 최고의 완전성으로 사랑하는 것입니다. 바로 이 지점에서 자기이해는 사실상 신의 자기이해입니다. 신의 존재가 자기이해를 통해서 자기 진실로 드러나는 성스러운 순간입니다.

2. 成心: 고정관념의 오류
성심

마음이 감각적 현상에 의존하여 그 대상에 대해서 알았다고 판단할 때, 그러한 인식의 오류를 장재는 '성심'(成心)이라 부릅니다. 마음은 진성(盡性)을 통해서 대상 사물의 본성을 영원의 필연성으로 인식해야 합니다. 이것이 마음의 덕(德)입니다. 그런데 이러한 방식이 아닌 감각적 현상에 의존하여 알았다고 판단하면, 그것이 곧 '성심' (成心)입니다. 그래서 장재는 다음과 같이 말합니다.

[5-7-9 『완역 성리대전』]
"成心"忘, 然後可與進於道.

"성심(成心)"을 잊은 후에 함께 도에 나아갈 수 있다.

성심(成心)을 잊어야 한다고 했습니다. 현상에 대한 해석 및 판단으로 알았다는 말을 하면 안 된다는 것입니다. 장재는 보다 직설적으로 말합니다.

[5-7-10 『완역 성리대전』]
化則無成心矣. 成心者, 意之謂與!

화(化)하면 사사로운 뜻이 없다. 성심은 사사로운 뜻을 말하는 것이로다!

성심(成心)은 '사사로운 뜻'이라고 분명히 말했습니다. 현상에 대한 해석이나 판단이 성심입니다. 반면 "화(化)하면 사사로운 뜻이 없다."이라고 말했습니다. 이때의 화(化)는 '궁신지화'(窮神知化)입니다. 모든 것을 신의 본성에 고유한 필연성으로 이해하는 것이 '궁신지화'입니다.

따라서 다음과 같은 결론은 필연적입니다.

[5-7-12 『완역 성리대전』]
心存, 無盡性之理, 故聖不可知謂神.

사사로운 마음을 보존하면 성(性)을 다하는 리(理)가 없으므로, '성스러워서 알 수 없는 것을 신(神)'이라고 한다.

마음이 성심(成心)으로 생각하고 이해하는 한에서 절대적으로 신의 본성을 이해할 수 없습니다. 자연 전체가 영원의 필연성으로 최고의 완전성 안에서 순수지선으로 존재하고 활동한다는 사실을 알수 없습니다. 그렇기 때문에 성심으로 생각하고 배우는 한에서 우리는 절대적으로 성인(聖人)이 명백하게 이해하는 신(神)을 알 수 없습니다. 이 지점에서 우리가 4부 1장, 「불가지(不可知)의 오류」에서 다루었던 논점이 진리로 증명됩니다. 장재가 신(神)에 대한 인식을 불가지(不可知)로 규정할 때, 이때의 지(知)는 성심(成心)에서 나오는 것입니다.

3. 親: 새로움에 대한 不學의 비극

자연을 구성하는 몸은 무한한 방식으로 무한하게 생겨납니다. 그 어떤 몸도 우연이나 가능으로 생겨나지 않습니다. 자연 안에 어떤 몸이 존재하고 있다면, 그것은 영원의 필연성으로 존재하도록 결정된 것입니다. 같은 방식으로 자연을 구성하는 몸의 순간 변화로서 감정도 무한한 방식으로 무한하게 생겨납니다. 그 어떤 감정도 '우연'이나 '가능'으로 생겨나지 않습니다. 자연 안에 어떤 감정이 존재한다면, 그것은 영원의 필연성으로 존재하도록 결정된 것입니다. 우리가 이렇게 몸 및 몸의 순간 변화로서 감정을 이해하면, 우리는 자연의 진실을 친(親)이 아닌 신(新)으로 배우며 이해합니다. 친(親) 또는 과거에 대한 집착이 없습니다. 새로움을 뜻하는 '신'(新)이 자연의 진실입니다.

이 사실을 장재도 다음과 같이 확인합니다.

[6-9-5 『완역 성리대전』]

日新之謂盛德. 過而不有, 不凝滯於心, 知之細也.

날마다 새로워지는 것을 성대한 덕이라고 한다. 지나가게 하고 간직하지 않아서, 마음에 얽매이지 않는 것이 지혜의 세밀함이다.

"날마다 새로워지는 것을 성대한 덕이라고 한다."라고 했습니다. 신의 본성은 영원의 필연성 안에서 무한히 새로움으로 존재합니다. 이 사실을 부정하면 신의 완전성을 우리는 부정하게 됩니다. 신의 몸으로부터 무한한 몸이 산출될 때 신의 영원무한이 증명됩니다. 자연 안에 무한한 종(種)이 존재하며 땅 속에서 무한한 광물이 존재하는 것도 같은 이치입니다. 동시에 신의 감정으로부터 무한한 감정이 산출됩니다. 지금 우리가 매순간 무한한 감정을 느낀다는 점, 그리고 그 어떤 자기의 감정도 우연성으로 존재하지 않는다는 사실이 신의 영원무한을 증명합니다.

영원의 필연성 안에서 무한한 것이 무한한 방식으로 산출된다는 사실로부터 친(親)에 대한 집착은 그 자체가 불사불학(不思不學)의 증명입니다. 매순간 새로움 몸과 감정에 나아가 그에 고유한 본성을 영원의 필연성으로 배우며 이해함으로써 그 모든 새로움을 순수지선으로 이해하는 것이 매우 중요합니다. 이때 비로소 우리는 더 이상 친(親)에 집착하지 않습니다. 왜냐하면 새로움의 무한성에 비례하여 순수지선의 새로움을 무한하게 즐기는 축복을 누릴 수 있기 때문입니다. 친(親)을 집착하거나 그리워할 그 어떤 이유도 없습니다. 신(新)이 자연의 진실이며 배움의 진실입니다.

영원의 필연성 안에서 무한한 새로움을 배우는 것이 행복을 보다 더 큰 완전성으로 확인하려는 욕망의 이성에 근거하여 지극히 당연합니다. "지나가게 하고 간직하지 않아서, 마음에 얽매이지 않는 것이 지혜의 세밀함이다."라고 말한 이유입니다. 그런데 영원의 필연성은 오직 '자기이해'만으로 이해할 수 있는 것입니다. 자기 스스로 생각하고 자기 스스로 배움으로써 자기 스스로 영원의 필연성을 명석판명하게 이해하면, 그 이해를 믿어야 합니다. 왜냐하면 자기이해는 그 자체가 절대적인 능동이며, 그러한 한에서 최고의 완전성이기 때문입니다. 그래서 무한한 새로움에 나아가 무한한 순수지선을 배우는 정신은 자기이해만으로 존재하며 이해합니다.

장재는 이 이해를 다음과 같이 강조합니다.

[6-9-12 『완역 성리대전』]
"正己而不求於人", 不願乎外之盛者與!

"자기를 바르게 하여 남에게 구하지 않음"은 외면의 성대함을 원하지 않는 것일 것이다!

"자기를 바르게 하여 남에게 구하지 않음"은 자기이해를 뜻합니다. 자기이해는 자기 스스로 형성하는 것입니다.

그러므로 정신이 자기이해를 통해서 자연 자체에 고유한 본성을 이해함으로써 순수지선에 대한 믿음이 확고부동하게 정립되면, 정신은 자연의 무한한 새로움을 자기이해의 믿음에 근거하여 배웁니다. 그 결과 무한한 새로움이 순수지선의 완전성으로 존재하고 있다는 사실을 이해합니다. 그렇기 때문에 엄격히 말해서 친(親)에 대한 집착은 불사불학(不思不學)에서 기원합니다. 자연의 진실을 모르면 자연의 새로움을 부정하려 합니다. 이런 오류가 발생하는 이유는 단 하나입니다. 감각적 현상에 예속되어 생각하는 정신이 인식의 오류에 빠짐으로 인해 발생합니다.

3장. 악(惡)에의 예속

1. 惡의 제거

몸-생김의 진실은 영원무한의 생명과 사랑입니다. 생김의 몸으로 놀이하기 때문에 몸-놀이의 진실 또한 영원무한의 생명과 사랑입니다. 몸은 영원무한의 생명과 사랑 안에서 생겨나고 놀이합니다. 이는 자연 전체의 진실이기도 합니다. 그런데 자연과 달리 유독 우리가 살아가는 인간 세상에서는 생명과 사랑을 어기는 일이 너무나 자주 발생합니다. 생명과 사랑을 어기는 일이 셀 수 없을 정도로 많습니다. 이런 경험을 가지고 우리는 '악'(惡)의 존재와 '악인'(惡人)의 존재를 강력히 주장합니다. 이 주장을 근거로 인간 세상의 평화와 행복을 위해서 '악'과 '악인'을 제거해야 한다고 주장합니다. 심지어 자연과 달리 인간은 얼마든지 악인이 될 수 있다고 합니다.

그러나 감정과학의 방법은 그들과 근본적으로 다릅니다. 순수지선으로 생겨나고 놀이하도록 결정된 성스러운 사람이 어쩌자고 악행(惡行)을 하는 지경에 처하게 되었는지 배우자고 합니다. 악인이 존재하므로 악행을 한다는 것이 아니라, 존재하는 것은 오직 순수지선의 성인(聖人) 밖에 없는데 무슨 이유로 성인이 악행을 하게 되었는지 함께 배워서 그 원인을 이해하자고 합니다. 물론, 이런 주장은 악행에 희생된 분을 비롯해서 그와 관련된 피해자분들로 하여금 극도의 분노감을 느끼게 합니다. 그러나 그런 사례를 통해서 악인의 존재를 긍정하면 제2, 제3의 악인이 반드시 등장합니다. 그만큼 인간 세상은 어둡게 됩니다.

감정과학은 악행(惡行)을 없애자고 주장하지도 않습니다. 여기에는 두 가지 이유가 있습니다. 우리가 삼각형의 본성을 이해하는 한에서 우리는 절대적으로 삼각형의 본성을 따라서 삼각형을 그립니다. 지(知)와 행(行)은 본래 일치합니다. 지(知)를 따라서 행(行)은 이루어집니다. 예를 들어서, 어떤 이가 '나는 네 개의 각으로 구성된 삼각형을 그리겠다.'라고 주장한다면, 우리는 그이를 향해서 절대적으로 악인(惡人)이라고 규정하지 않습니다. 심지어 그이가 우리에게 '네 개의 각으로 구성된 삼각형'을 그리라고 강요한다고 해도 사정은 마찬가지입니다. 우리는 '이 사람은 삼각형의 본성을 모른다.'라고 생각하며, 그에게 삼각형의 본성을 가르쳐주려고 합니다.

악인(惡人)과 악행(惡行)에 대해서도 같은 논리가 적용됩니다. 몸의 본성은 영원무한의 생명과 사랑입니다. 이 진실 안에서 몸은 생겨나고 놀이합니다. 이 사실이 분명하기 때문에 몸으로 살아간다는 것은 생명과 사랑을 실천하는 것입니다. 마치 삼각형의 본성을 따라서 삼각형을 그리는 것과 이치가 같습니다. 이때 어떤 사람이 생명과 사랑을 어기는 행동을 한다면, 우리는 어떻게 이 사태를 이해해야 할까요? 그이를 악인으로 규정함으로써 그이의 존재 및 그가 한 악행을 제거하기 보다는 그 사람 스스로 몸의 생김과 놀이를 일관하는 본성의 필연성을 이해할 수 있도록 다 함께 노력해야 하지 않을까요? 그 사람은 지금 자기 몸의 놀이에 고유한 본성을 모르는 상태에 있습니다.

다음으로, 우리가 '네 개의 각으로 구성된 삼각형' 자체가 영원의 필연성으로 존재하지 않는다는 사실을 명백하게 이해하는 한에서, 그런 삼각형을 그리겠다는 생각 또한 사실상 존재하지 않는 것입니다. 그렇기 때문에 그런 삼각형을 그리려는 모든 행동들 또한 사실상 존재하지 않는 것입니다. 삼각형의 본성에 대해서 모르는 마음은 존재하는 것이 아니며, 이 마음으로 발생하는 그 어떤 행동도 존재하지 않습니다. 같은 논리로 몸의 놀이에 고유한 본성인 생명과 사랑을 어기는 그 어떤 생각이나 행동도 실질적으로 존재하는 것이 아닙니다. 이는 매우 어려운 주제이지만, 존재하지 않는 것을 존재하고 있다는 착각은 그 자체로 존재하지 않는 것입니다.

우리가 이렇게 진실로 존재하는 것이 무엇인지 이해하면, 우리는 더 이상 악인이나 악행에 예속되지 않습니다. 그들 존재 및 그들이 한 행동은 사실상 근본 없는 상상에 불과할 뿐입니다. 이 지점에서 우리의 논의를 혼동해서는 안 됩니다. 지금 우리의 논의는 악행에 희생되신 분들을 향하는 것이 아닙니다. 왜 우리가 그리고 그분들이 악행에 의해서 희생되어야 하는지 그 이유를 알고 싶은 것입니다. 악행을 할 이유도, 그런 행동에 의해서 희생당할 그 어떤 이유도 우리 인간에는 없습니다. 그럼에도 불구하고 도대체 왜 그런 행동을 사람이 하며 왜 그런 행동으로 인해 불행을 겪어야 하는지, 그 이유를 알고 싶은 것입니다.

이때 질문의 답을 '간단해. 악인이 본래 존재한다.'라는 주장에서 찾는다면, 이 주장은 사실상 거짓말입니다. 왜냐하면 악인도 자신의 몸으로 존재하며, 자신의 몸으로 악행을 저지르기 때문입니다. 우리가 몸의 생김에 고유한 그 자체(물자체)의 본성을 이해하는 한에서 몸은 절대적으로 생명과 사랑 안에서 생겨나고 놀이하도록 영원의 필연성으로 결정되어 있습니다. 영원의 진리가 분명함에도 불구하고 악행이나 그에 따른 비극적인 사건을 토대로 악인의 존재를 주장한 다면, 그 주장은 사실상 불사불학(不思不學)의 결과물에 불과합니다. 우리는 이런 터무니없는 거짓말에 현혹되면 안 됩니다. 그렇다면 질문의 답은 무엇일까요?

장재는 다음과 같이 대답합니다.

[5-6-27 『완역 성리대전』]
察惡未盡, 雖善必粗矣.
악을 살피는 것을 다하지 않으면 비록 선이라도 반드시 거칠어진다.

악(惡)을 살피자고 합니다. 그렇지 않으면 인간의 순수지선을 알 수 없게 된다고 합니다. 이제 우리가 궁금한 것은 어떻게 악을 살펴야 하는지 그 방법입니다. 장재는 다음과 같이 말합니다.

[5-6-31 『완역 성리대전』]
領惡而全好者, 其必由學乎!

악을 다스려 온전히 좋게 하는 것은 반드시 배움으로 말미암을 것이다.

악(惡)을 살피며 다스리는 방법은 "반드시 배움으로 말미암을 것이다."라고 했습니다. 무엇을 배워야 할까요? 이 문제의 답은 이미 삼각형에 대한 비유에서 충분히 제시했습니다. 몸 그 자체의 진실을 배움으로써 몸의 생김과 놀이를 일관하는 진리를 영원의 필연성으로 이해해야 합니다. 이 진실이 장재에게는 단 하나의 영원무한인 생명과 사랑으로서 태허(太虛)입니다. 이에 대한 이해가 분명할 때, 삼각형의 본성을 따라서 삼각형을 그리는 것이 지극히 쉽고 간단한 것과 같이 생명과 사랑 안에서 몸-놀이를 하게 됩니다. 여기에는 그 어떤 예외가 없습니다. 제2 제3의 악인은 더 이상 발생하지 않습니다. 당연히 생명과 사랑을 어기는 행동도 없습니다.

그러므로 우리가 감정과학을 통해서 우리 자신의 진실 및 자연 전체의 진실을 이해하게 되면, 우리는 절대적으로 자기 본성의 진실인 생명과 사랑을 어기지 않습니다. 생명과 사랑을 향한 절대적인 믿음 안에서 모든 것을 생명과 사랑으로 배워서 이해합니다. 우리 모두가 자기 자신 및 자기와 다른 사람들 그리고 자연 전체를 감정과학으로 배우면, 악인과 악행은 본래 존재하지 않는 것임을 확인하게 됩니다. 그것의 존재를 긍정하기 보다는 그런 일이 왜 발생하는지 믿음으로 배워서 용서합니다. 함께 뉘우치며 함께 진리를 향해 나아갑니다. 인간 세상의 행복을 위한 유일한 방법입니다.

2. 無情한 세상
무 정

몸으로 생겨나서 몸으로 살아가는 것은 인간 세상을 비롯해서 자연 전체의 진실입니다. 몸으로 살아가는 것은 매순간 무한히 새로운 몸의 순간 변화인 감정으로 살아가는 것입니다. 감정으로 살아간다는 것은 감정의 본성인 영원무한의 생명과 사랑 안에서 무한한 방식으로 무한한 감정을 느끼며 그 진실대로 행동한다는 것을 뜻합니다. 그렇기 때문에 감정을 느끼며 감정대로 살아가는 우리가 감정의 진실을 이해하며 살아가는 한에서 우리는 감정에 충실한 삶을 살게 됩니다. 절대적으로 생명과 사랑을 어기는 생각을 하지 않습니다. 감정의 진실이 생명과 사랑이기 때문에 감정대로 산다는 것은 생명과 사랑으로 산다는 것을 뜻합니다.

그러나 감정으로 살아가는 우리 자신이 감정에 대해서 올바른 이해를 형성하지 않으면, 그 즉시 감정의 진실을 어기는 생각으로 잘못된 행동을 거리낌 없이 하게 됩니다. 이렇게 살아가는 비극이 우리에게 무정(無情)한 세상을 가져옵니다. 이러한 맥락에서 세상의 비극은 감정 때문에 발생하는 것이 아니라 감정의 진실을 어기는 무정(無情)한 생각으로 발생합니다. 감정으로 존재하는 우리가 감정의 진실을 모르면, 감정을 어기는 무정한 존재로 전락합니다. 감정 안에 존재하며 감정을 느끼고 있음에도 불구하고 감정의 진실을 이해하지 못하기 때문에 진실로 감정을 느끼지 못하게 되는 것입니다. 따라서 무정(無情)은 감정에 대한 인식의 오류입니다.

여기에서 우리는 다음과 같은 질문을 해야 합니다.

이미 무정한 사람이 어떻게 자신의 무정을 치유할 수 있는가?

바로 앞에서 논의하였듯이 무정(無情)은 감정을 느끼지 않는 것이 아니라 감정에 대한 인식의 오류입니다. 감정을 느낄 때, 감정의 진실을 이해함으로써 감정대로 살아가는 것이 정감 있는 유정(有情)입

니다. 반면, 감정을 느낄 때, 감정의 진실을 이해하지 못함으로써 감정의 진실을 어기는 생각과 함께 잘못된 행동을 하는 것이 무정(無情)입니다. 그렇기 때문에 엄격히 말해서 유정과 무정에 상관없이 우리의 절대적인 진실은 감정 안에서 감정을 느낀다는 것입니다. 바로 여기에 문제해결의 방법이 있습니다. 감정 안에 존재한다는 것은 이미 생명과 사랑 안에 존재한다는 것을 뜻합니다. 따라서 방법은 매우 간단합니다.

장재는 다음과 같이 말합니다.

[5-8-28 『완역 성리대전』]
君子於天下, 達善達不善, 無物我之私. 循理者共悅之, 不循理者共改之. 改之者, 過雖在人如在己, 不忘"自訟"; 共悅者, 善雖在己, 蓋取諸人而爲, 必以與人焉. 善以天下, 不善以天下, 是謂'達善達不善.'

군자가 세상에서 선을 두루 행하거나 불선을 두루 행하는 것은 대상 [物]과 나 사이의 사사로움이 없는 것이다. 리(理)를 따르면 모두가 기뻐하고, 리를 따르지 않으면 모두가 고친다. 고치는 것은 허물이 비록 다른 사람에게 있어도 자기에게 있는 것 같이 하여 "스스로 뉘우치는 것"을 잊지 않고, 모두가 기뻐하는 것은 선이 비록 자기에게 있더라도 다른 사람에게서 취하여 행하며, 반드시 다른 사람이 하도록 도와준다. 세상에서 선을 행하거나 세상에서 불선을 행하는 것, 이것을 '선을 두루 행하거나 불선을 두루 행하는 것'이라고 말한다.

"리(理)를 따르면 모두가 기뻐하고, 리를 따르지 않으면 모두가 고친다."라고 말했습니다. 리를 따른다는 것은 감정의 진실을 이해하며 살아가는 유정(有情)입니다. 반면 리를 따르지 않는 것은 무정(無情)입니다. 그런데 이에 대한 정재의 대답은 일반적으로 우리에게 익숙한 복수나 처벌이 아닙니다. 핵심 부분을 다시 인용으로 제시하면 다음과 같습니다.

> 고치는 것은 허물이 비록 다른 사람에게 있어도 자기에게 있는 것 같이 하여 "스스로 뉘우치는 것"을 잊지 않고

자신의 무정 또는 세상의 무정에 상관없이 모든 무정을 자신의 것으로 이해한다고 합니다. 이것으로 끝이 아닙니다. 세상의 모든 무정에 대해서 자신이 뉘우친다고 합니다. 이때의 뉘우친다는 것은 무정한 행동을 자기 탓으로 돌리는 것이 절대 아닙니다. 이미 우리가 충분히 논의한 바와 같이 유정의 사람이 도대체 무슨 이유로 무정의 사람으로 살아가는지 배워서 이해하는 것입니다. 여기에는 무정한 그들 각각의 무수한 곡절과 사정이 있을 것입니다. 사실은 유정인데 무정으로 잘못 이해했을 수도 있습니다. 여러 조건과 환경으로 인해 뜻밖에 유정의 사람이 무정으로 살아가게 되었을 수도 있습니다.

그러므로 우리가 이러한 방식으로 함께 뉘우치며 살아가면, 그만큼 우리는 세상을 무정(無情)이 아닌 본래의 유정(有情)으로 가꿀 수 있습니다. 유정의 사람이 무정으로 살아갈 수밖에 없는 필연성을 무한히 확인하면, 그에 비례하여 우리는 무정에 갇힌 사람이 다시 유정으로 살아갈 수 있도록 인도할 수 있는 방법을 찾게 됩니다. 더 나아가 사람과 세상에 대한 우리의 믿음을 보다 더 견고하게 할 수 있습니다. 이 믿음은 다시 사람과 세상에 대한 이해를 감각적 현상

으로 잘못 이해하지 않도록 우리를 지켜줄 뿐만 아니라 그와 비례하여 물자체의 본성으로 형성할 수는 정신력을 길러줍니다. 의지력이 아님에 주의해야 합니다. 마침내 우리는 비로소 다 좋은 세상을 누리는 축복을 받습니다.

3. 惡이 존재한다는 생각

이상의 논의를 요약하면 다음과 같습니다.

> [6-12-1 『완역 성리대전』]
> "有德者必有言", "能爲有"也. "志於仁而無惡", "能爲無"也.

"덕이 있는 사람에게는 반드시 (훌륭한) 말이 있으니", "(훌륭한 말이) 있게 될 수 있다는 것이다." "인(仁)에 뜻을 두면 악함이 없으니", "(악함이) 없게 될 수 있다는 것이다."

감정과학을 연마하는 사람은 영원의 필연성으로 순수지선만을 말합니다. 자연의 진실은 영원의 필연성으로 순수지선입니다. 인간 세상의 진실이기도 합니다. 장재는 "덕이 있는 사람에게는 반드시 (훌륭한) 말이 있으니"라고 했습니다. 세상의 순수지선을 말하는 것 이상으로 덕(德)은 없습니다. 악(惡)은 본래 존재하는 것이 아닙니다. 인(仁)에 뜻을 둔다는 것은 자기 몸의 진실인 영원무한의 생명과 사랑을 이해하는 것입니다. 이 이해로 자연을 이해하는 것이 인(仁)입니다. 그렇기 때문에 우리가 자기 생명의 진실에 근거하여 자연을 이해하는 한에서 몸으로 생겨나서 몸으로 살아가는 세상 및 자연의 진실은 영원의 필연성으로 순수지선의 '장엄천지'입니다.

그러므로 우리는 감정과학의 논리에 근거하여 앞에 제시한 원문 가운데 핵심 부분을 다음과 같이 다시 번역할 수 있습니다.

"志於仁而無惡", "能爲無"也.

자기 생명의 진실을 이해한 사람에게 오직 존재하는 것은 순수지선이다. 이 성스러운 사람은 '악이란 본래 존재하지 않는 것'이라는 진리를 확인한다. 따라서 이 이해를 확립한 성스러운 사람만이 다 좋은 세상을 누릴 수 있다.

참고로 인(仁)에 관한 자세한 논의는 3부 2장, 「1. 인(仁)을 행복으로 추구하는 욕망」에서 확인할 수 있습니다.

5부. 인간의 자유에 관하여

1장. 자기 본성의 필연성

1. 後驗分析
후 험 분 석

  인간의 정신이 자기이해를 통해서 자기 본래의 진실을 이해할
때, 정신은 예속 상태에서 벗어나는 최상의 자유를 누리게 됩니다.
더 이상 자신의 몸을 비롯해서 자연의 모든 몸을 감각적 현상으로
해석하지 않습니다. 영원의 필연성으로 모든 것을 순수지선으로 확인
합니다. 이것이 곧 마음 스스로 자기 본성을 따라서 살아가는 자유
입니다. 이로부터 마음은 '몸-생김'의 진실인 영원무한의 생명과 사
랑을 이해함으로써 '몸-놀이'의 감정을 영원무한의 생명과 사랑으로
살아갑니다. 이렇게 살아가는 것이 자기 본성의 필연성을 향한 자기
이해로 살아가는 것입니다. 이렇게 살아가며 사랑하는 사람이 '성인'
(聖人)입니다.

  성인(聖人)은 '자기이해'로 살아가는 사람입니다. 그리고 자기이해
가 마음의 덕(德)입니다. 따라서 성인의 모든 행동은 덕에 기초합니
다. 장재도 이 사실을 다음과 같이 확인합니다.

> [5-3-1『완역 성리대전』]
> 天道四時行百物生, 無非至教. 聖人之動, 無非至德, 夫何言哉?

천도는 사계절이 운행하고 만물이 생겨나니 지극한 교화가 아님이 없다. 성인의 행동은 지극한 덕이 아님이 없으니 무슨 말이 필요한가?

"성인의 행동은 지극한 덕이 아님이 없으니 무슨 말이 필요한가?"라고 했습니다. 이에 기초하여 우리는 행동에 대한 올바른 인식 또는 판단이 무엇인지 알 수 있습니다. 행동을 감각적 현상만으로 바라보며 그에 대한 시비(是非)를 판단하는 것은 인식의 오류입니다. 어떤 행동이 과연 '자기이해'를 따르는 것인지 여부를 확인하는 것이 행동에 대한 올바른 판단입니다. 이 지점에서 우리는 『장재 서명의 감정과학』에서 다루었던 신생(申生)의 이야기를 잠깐 살펴볼 필요가 있습니다[10장 참조.]. 신생의 행동은 겉으로 볼 때 자살입니다. 그러나 장재는 신생을 성스러운 효자라고 칭송합니다. 자기이해의 자유로 행동했다는 것입니다.

자기 스스로 자기 진실을 이해한다는 것은 영원무한의 생명과 사랑에 의해서 자기가 생겨나고 활동하도록 영원의 필연성으로 결정되었다는 사실을 이해하는 것입니다. 감정과학은 이 논리를 '선험분석(先驗分析)으로부터 후험분석(後驗分析)'으로 정의합니다. 생김의 진실이 놀이의 진실입니다. 영원무한의 생명과 사랑은 몸의 생김에만 존재하는 것이 아니라 몸의 놀이에도 존재합니다. 몸으로 살아가는 모든 공간과 시간이 사실은 영원무한의 생명과 사랑 안에 있습니다. 이 사실이 분명하므로 몸으로 살아간다는 것은 생김과 놀이를 일관하는 생명과 사랑으로 살아간다는 것입니다. 이 사실을 신생은 이해했기 때문에 신생의 자살은 성인(聖人)의 덕스러운 행동입니다.

몸으로 살아가는 삶의 모든 순간이 영원의 필연성으로 생명과 사랑 안에 있습니다. 이 사실을 장재도 다음과 같이 확인합니다.

[5-3-2 『완역 성리대전』]
"昊天曰明, 及爾出王; 昊天曰旦, 及爾游衍", 無一物之不體也.

"큰 하늘은 밝으므로 네가 나가서 다닐 적에 함께하시며, 큰 하늘은 밝으므로 네가 노닐 적에 함께하신다."라는 것은 하나라도 체인하지 않음이 없는 것이다.

몸으로 살아가는 모든 순간이, 그리고 몸으로 살아가며 자연의 모든 몸과 교차하는 순간이 영원무한의 생명과 사랑 안에 있습니다. 자기 몸으로 살아가는 순간이며 몸과 몸이 교차하는 순간이기 때문에 우리가 몸에 고유한 본성을 이해하는 한에서 이 진실은 영원의 필연성 그 자체입니다. "네가 나가서 다닐 적에 함께하시며"라고 말하고 "네가 노닐 적에 함께하신다."라고 말한 이유입니다. 몸으로 살아가는 순간을 경험 또는 후험(後驗)이라 부릅니다. 이 모든 순간에 영원무한의 생명과 사랑 그 자체인 신이 함께 존재한다는 사실을 이해하는 것이 분석(分析)입니다. 사실상 자기 존재의 진실이 '신'입니다.

장재도 감정과학의 진실을 다음과 같이 주장합니다.

[5-4-21 『완역 성리대전』]
見『易』則神其幾矣.

『역』을 보면 '낌새를 아는 것은 그 신일 것이다.'라고 되어 있다.

'기'(幾)는 몸의 '순간 변화'입니다[이와 관련된 자세한 논의는 『주돈이 통서의 감정과학』, 1부 6장 참조.]. '역'(易)은 '변화'를 뜻합니다. 장재는 이 변화를 기(幾)로 이해합니다. 이로부터 우리는 '변화의 순간'을 '순간 변화'로 이해할 수밖에 없습니다. 그리고 순간 변화로서 '기'(幾)는 사실상 우리 '몸의 순간 변화'입니다. 우리 몸은 잠시도 쉬지 않습니다. 그런데 우리 정신이 자기이해로 자명하게 확인한 우리 몸의 진실은 신의 몸입니다. 그렇다면 우리 몸의 순간 변화는 당연히 신의 몸의 순간 변화입니다. 이 변화는 엄밀히 말해서 선험이 아닌 후험에 해당합니다. 따라서 '기'(幾)를 안다는 것은 실질적으로 신의 몸이 자기 본성을 따라서 이루는 몸의 순간 변화를 이해하는 것입니다. 즉, '후험분석'입니다. 이 이해가 자기이해이며 자기 감정에 대한 자기의 타당한 인식입니다.

이상의 논의는 아래에 제시하는 인용에 근거하여 확실합니다.

[5-4-22 『완역 성리대전』]
"知幾其神", 由經正以貫之, 則寧用終日? 斷可識矣. 幾者, 象見而未形也, 形則涉乎明, 不待神而後知也. "吉之先見"云者, 順性命則所先皆吉也.

"낌새를 아는 것은 그 신일 것이다"라는 것은 일정한 바른 도로 말미암아 그것을 꿰뚫었으니, 어찌 날을 마치기를 기다리겠는가? 단연히 알 수 있다. 낌새는 상이 드러났으나 아직 형체가 없는 것이니, 나타나면 밝음에 관계되므로 신(神)을 기다린 후에 아는 것이 아니다. "길함이 먼저 나타난다."라고 한 것은 성(性)과 명(命)을 따르면 먼저 하는 것은 다 길하다는 것이다.

두 부분으로 나누어 분석하겠습니다.

"낌새를 아는 것은 그 신일 것이다"라는 것은 일정한 바른 도로 말미암아 그것을 꿰뚫었으니, 어찌 날을 마치기를 기다리겠는가? 단연히 알 수 있다.

몸의 순간 변화를 신의 몸에 고유한 본성으로 이해하는 것은 지극히 당연한 것이며 쉬운 것입니다. 후험분석을 향한 인식은 인간 정신의 본래적 기능입니다.

낌새는 상이 드러났으나 아직 형체가 없는 것이니, 나타나면 밝음에 관계되므로 신(神)을 기다린 후에 아는 것이 아니다.

기(幾: 낌새)는 "상이 드러났으나 아직 형체가 없는 것"입니다. 변화는 공간과 시간을 통해서 감각적 현상으로 드러납니다. 형체가 있습니다. 그러나 변화의 순간, 즉 '순간 변화'는 무한 변화의 한 점이기 때문에[수학의 미분을 생각하면 쉽게 이해할 수 있습니다.] 변화의 상은 분명하나 구체적 형상을 갖지 않습니다. 이 순간 변화에 고유한 본성을 이해하는 것은[수학의 미분에서 순간 변화율을 이해하는 것과 본질적으로 같습니다.] 그 자체가 신의 본성에 고유한 본성의 필연성을 이해하는 것입니다. 그렇기 때문에 "신(神)을 기다린 후에 아는 것이 아니다."라고 말합니다. 순간 변화에 내포된 영원의 본성을 이해하는 그 순간이 '신'을 이해하는 순간이며 '신'의 존재가 증명되는 성스러운 순간입니다. 돈오(頓悟)의 돈(頓)과 같습니다.

이 인식과 동시에 우리는 최상의 축복을 누리게 됩니다.

"길함이 먼저 나타난다."라고 한 것은 성(性)과 명(命)을 따르면 먼저 하는 것은 다 길하다는 것이다.

우리가 순간 변화를 신의 본성으로 이해할 때, 변화의 모든 순간은 영원의 필연성 안에서 신 안에 존재한다는 사실을 이해합니다. 신은 생김에만 존재하는 것이 아니라 몸으로 살아가는 삶의 모든 순간에 존재합니다. 숨을 쉬는 순간이 신의 존재이며, 물을 마시며 식사하는 순간이 신의 존재입니다. 몸으로 살아가는 모든 순간이 사실상 신이 자신의 본성을 따라서 살아가는 성스러운 신성(神性)의 순간입니다. 우리가 이렇게 우리 삶의 모든 순간을 이해할 때, 우리는 진정으로 자유롭습니다. 이 자유가 길(吉)입니다.

그러므로 다음과 같은 결론은 지극히 당연한 것입니다.

[5-4-23 『완역 성리대전』]
知神而後能饗帝饗親, 見『易』而後能知神. 是故'不聞性與天道'而能制禮作樂者, 末矣.

신(神)을 안 후에 '하늘에 제향할 수 있고 부모에게 제향할 수 있으며', 『역』을 본 후에 신을 알 수 있다. 이 때문에 '성과 천도를 듣지 않고서' 예(禮)를 짓고 악(樂)을 지을 수 있는 자는 말단이다.

자기 몸에 나아가 몸-생김의 진실을 이해할 때, 눈에 보이는 부모를 진실로 모실 수 있습니다. "신(神)을 안 후에 '하늘에 제향할 수 있고 부모에게 제향할 수 있으며'"라고 말했습니다. 자기 몸에 나아가 몸-놀이의 진실을 순간 변화에 고유한 필연성으로 이해할 때, 삶의 모든 순간이 신성한 순간임을 이해합니다. "『역』을 본 후에 신을 알 수 있다. 이 때문에 '성과 천도를 듣지 않고서' 예(禮)를 짓고 악(樂)을 지을 수 있는 자는 말단이다."이라고 말했습니다. 인간 세상의 문화와 정치는 삶의 모든 순간이 신의 본성 안에서 신의 본성을 따른다는 사실을 이해하는 사람이 감당할 수 있습니다.

2. 知德
지 덕

우리를 자유롭게 하는 것은 자기이해를 통해서 자명하게 깨닫는 자기 진실입니다. 돈과 권력 그리고 명예 등과 같은 것은 진실로 우리를 자유롭게 하지 못합니다. 오히려 우리의 정신을 예속시킵니다. 왜냐하면 그것들로 우리 자신의 존재와 가치를 규정하기 때문입니다. 자기 생명의 진실인 영원무한의 생명과 사랑을 알지 못하면, 조금 전에 열거한 것들은 삶의 매순간 느끼는 감정의 행복과 우리 모두가 피할 수 없는 죽음 앞에서 아무 힘도 없습니다. 돈이 많으면 삶의 매순간을 행복 감정으로 살아갈 수 있을까요? 돈이 아무리 많아도 그것이 죽음 앞에 있는 우리 자신을 구원하지 못합니다.

이러한 비극은 『길가메시 서사시』에서 확인할 수 있습니다. 최고의 영웅, 최고의 인간이 길가메시입니다. 모르는 것이 없고, 갖지 못한 것이 없습니다. 그러나 그 영웅이 자신의 죽음 앞에서 한없이 나약한 인간으로 전락합니다. 자신이 알고 있는 것과 자신이 가진 것이 자신을 죽음으로부터 구제하지 못합니다. 결국 그 모든 것을 버리고 영원한 생명을 찾아서 긴 여정을 떠난다는 것이 이 이야기의 골자입니다. 그러나 길가메시는 끝내 영원한 생명을 찾지 못합니다. 이때 이 이야기를 비극으로 읽을 것인지, 아니면 희극으로 읽을 것인지는 우리의 이해에 있습니다.

감정과학에 의하면 길가메시의 바람은 헛된 것입니다. 왜냐하면 영원의 생명은 우리의 몸 밖에 존재하는 것이 아니기 때문입니다. 길가메시 자기의 몸이 영원무한의 생명과 사랑에 의해서 영원무한의 생명과 사랑으로 생겨나고 활동하도록 영원의 필연성으로 결정되어 있습니다. 이러한 측면에서 길가메시가 영원의 생명을 밖에서 구하지 못한 것은 당연한 것이며, 그 자체로 희극입니다. 왜냐하면 길가메시의 실패는 길가메시로 하여금 자기 생명의 진실을 이해하도록 인도하기 때문입니다. 그렇다면 과연 길가메시는 과연 자기 생명의 진실을 이해했을까요?

길가메시의 죽음 이후, 이 이야기는 '엄마아빠의 자식 길가메시'를 계속해서 강조하며 끝납니다. 이것은 매우 중요한 은유입니다. 길가메시가 영원의 생명을 구하는 데에 실패했을 때, 길가메시는 자기 생명의 영원성이 자기 안에 있는 것은 아닌지 스스로 생각할 수 있습니다. 자기 생김에 대해서 생각해 보면, 엄마아빠의 존재 및 이 존재에 고유한 본성으로서 생명과 사랑을 영원의 필연성으로 이해하게 됩니다. 이 이해로부터 길가메시는 자기 생명의 진실이 본래부터 영원무한의 생명과 사랑 안에 있다는 사실을 깨닫게 됩니다. 이 깨달음을 길가메시가 확인할 때, 그는 기쁜 마음으로 눈을 감을 수 있습니다. 이 대목에서 길가메시의 비극은 희극으로 드러납니다.

결국 중요한 것은 자기 생명의 진실을 자기 스스로 이해하는 것입니다. 자기 생명이 처한 공간과 시간에 의존하여 그것으로 자기 생명을 이해하는 것이 아닙니다. 자기 생명에 고유한 진실을 자기 스스로 이해해야 합니다. 이때 비로소 삶과 죽음에 대한 걱정과 공포로부터 우리 자신을 자유롭게 할 수 있습니다. 장재도 다음과 같이 말합니다.

[5-6-17 『완역 성리대전』]
　湛一, 氣之本; 攻取, 氣之欲. 口腹於飮食, 鼻舌於臭味, 皆攻取之性也. 知德者屬厭而已. 不以嗜欲累其心, 不以小害大, 末喪本焉爾.

　담일(湛一: 맑고 순수하며 합일하는 것)은 기의 근본이고, 빼앗고 취하는 것은 기의 욕구이다. 입과 배가 마시고 먹는 것, 코와 혀가 냄새 맡고 맛보는 것은 모두 빼앗고 취하는 성질이다. 덕을 아는 자는 만족할 뿐이다. 좋아하는 것으로 그 마음을 얽매이게 하지 않는 것은 작은 것으로 큰 것을 해치거나 말단으로 근본을 손상하게 하는 것이 아니다.

우리의 정신이 감각 기관에 의존하여 생각하는 한에서 우리는 모든 것을 현상에 대한 해석으로 판단합니다. 그러나 이러한 판단은 길가메시를 통해서 확인할 수 있듯이 행복의 기초로서 반드시 알아야 하는 자기 생명의 진실을 알 수 없게 합니다. "덕을 아는 자는 만족할 뿐이다."라고 말했습니다. 자기 생명의 진실을 아는 사람은 영원 무한의 생명과 사랑으로 존재하며 활동하기 때문에 감각적 현상으로 자신을 이해하지 않습니다. 자신을 비롯해서 세상의 모든 것을 생명과 사랑으로 이해하며, 그러한 한에서 모든 것의 순수지선을 이해합니다. 이 이해가 최상의 자기만족입니다. 왜냐하면 자기 안에 본래 있는 생명과 사랑의 축복을 자기 안에서 구하기 때문입니다.

이렇게 행복을 추구하는 사람은 절대로 삶의 현실에 눈을 감지 않습니다. 의지력과 수양론의 거짓말에 희생되지 않습니다. '처참한 현실'과 '환상의 미래'를 보는 두 눈으로 사는 것이 아니라 자기 생명의 진실 안에서 자신의 현실을 최고의 행복으로 살아갑니다. 이 행복이 분명한 사람은 환상의 미래가 가져오는 희망 고문으로 자신을 학대하지 않습니다. 이미 충만한 자기 행복 안에서 자신이 처한 현실을 보다 더 큰 행복으로 인도하기 위한 최선을 노력을 합니다. 그리고 이 노력은 절대적으로 생명과 사랑을 어기지 않습니다. 우리가 이렇게 살아가는 한 다 좋은 세상의 행복은 요지부동입니다. 삶의 진정한 행복은 감정과학을 연마하는 것입니다.

그러므로 오직 우리 자신이 우리를 행복하게 하며 자유롭게 합니다. 장재는 다음과 같이 말합니다.

[5-6-29 『완역 성리대전』]
"在帝左右", 察天理而左右也. 天理者, 時義而已. 君子教人, 舉天理以示之而已, 其行己也, 迷天理而時措之也.

"상제의 좌우에 계시도다."라는 것은 천리를 살펴서 좌우에 둔다는 것이다. 천리란 때에 마땅함일 뿐이다. 군자가 사람을 가르칠 때에는 천리를 들어서 보일 뿐이고, 자기가 행할 때에는 천리에 따라 때에 맞게 조치하는 것이다.

"자기가 행할 때에는 천리에 따라 때에 맞게 조치하는 것이다."라고 했습니다. 자기이해의 행복 안에서 자기이해의 자유로 자기이해의 행동을 하는 것이 우리가 누릴 수 있는 최고의 행복입니다. 행복과 자유는 밖에서 구하는 것이 아니라 자기 안에 본래 있는 행복과 자유를 따라서 사는 것이 진정한 행복이며 자유입니다. 이때 비로소 우리는 조건과 환경에 의해서 결정되거나 예속되는 비참한 비극으로부터 우리 자신을 구원할 수 있습니다. 따라서 감정과학을 연마함으로써 자기 스스로를 구원하는 것은 욕망의 이성에 근거하여 지극히 당연한 것이라는 결론이 나옵니다.

3. 知行一致
지 행 일 치

학문의 핵심은 인식하는 것이며, 인식은 자기이해를 통한 자기 진실의 확인입니다. 자기 진실이 영원무한의 생명과 사랑임을 이해해야 합니다. 이 이해로부터 믿음이 드러납니다. 자기 진실을 향한 자기 믿음이 분명할 때, 자기는 삶의 모든 순간을 믿음 안에서 배움으로써 자기 믿음을 이전보다 공고히 합니다. 이때 비로소 자기는 다 좋은 세상, 그리고 장엄천지를 환하게 봅니다. 순수지선 안에서 순수지선으로 존재하는 모든 것이 순수지선으로 교차하며 순수지선을 무한히 증대시킵니다. 여기에는 그 어떤 의지력이나 판단력이 개입하지 않습니다. 자기이해에서 유래하는 자기 믿음 안에서 자기를 배우며 자연을 배울 때, 이 모든 축복을 누리게 됩니다.

삶의 행복이 의지력과 판단력에 있지 않다는 것을 장재도 다음과 같이 확인합니다.

[5-8-13 『완역 성리대전』]
勉蓋未能安也, 思蓋未能有也.

힘쓴다는 것은 아직 편안할 수 없는 것이고, 생각한다는 것은 아직 가질 수 없는 것이다.

여기에서 '면'(勉)은 의지력이며, '사'(思)는 의지력에 기초한 판단력입니다. 감정과학의 방법으로서 사유의 자명이 아닙니다. 아래의 인용에 근거하여 분명합니다.

[5-8-18 『완역 성리대전』]
意, 有思也; 必, 有待也; 固, 不化也; 我, 有方也. 四者有一焉, 則與天地爲不相似.

의(意)는 사사로운 생각이 있는 것이고, 필(必)은 기대함이 있는 것이며, 고(固)는 변화하지 않는 것이고, 아(我)는 처소가 있는 것이다. 네 개 가운데 하나라도 있으면 천지와 서로 비슷하지 않게 된다.

"의(意)는 사사로운 생각이 있는 것이고"라고 했습니다. "[5-8-13]"에서 사(思)는 '의지력에 기초한 판단력'입니다. 이 생각은 이미 논한 바, 정신의 예속 상태입니다. 생각의 진실은 인간 정신에 고유한 기능으로서 자기이해입니다. 그러나 이 이해를 결여하면 감각적 현상에 의존하여 '생각'하며, 이 생각에 의존하여 선악(善惡)이나 호오(好惡)를 '판단'합니다. 이로부터 인간 정신은 전쟁 정신으로 변질됩니다. 선한 것과 좋은 것으로 판단(意)한 것은 반드시(必) 자기(我)가 소유하겠다고 고집(固)하며, 반대로 악한 것과 나쁜 것으로 판단(意)한 것은 반드시(必) 자기(我)가 없애겠다고 고집(固)합니다. "네 개 가운데 하나라도 있으면 천지와 서로 비슷하지 않게 된다."라고 말한 이유입니다.

그러므로 계속해서 논의하였듯이 우리 자신을 행복 안에서 진정으로 자유롭게 하는 방법은 자기 스스로 자기 생명의 진실을 이해하는 것입니다.

[5-8-19 『완역 성리대전』]
天理一貫, 則無意·必·固·我之鑿. 意·必·固·我, 一物存焉, 非誠也, 四者盡去, 則"直養而無害"矣.

천리가 하나로 관통하면 의(意)·필(必)·고(固)·아(我)의 천착이 없다. 의·필·고·아 가운데 하나라도 있으면 성(誠)이 아니니, 네 가지가 다 제거되면 "곧음으로 길러서 해침이 없다."

"천리가 하나로 관통"이란, 자기 생명의 진실이 생김과 놀이에 일관한다는 사실을 이해하는 것입니다. 이 이해로부터 "의(意)·필(必)·고(固)·아(我)" 같은 정신의 예속은 흔적 없이 사라집니다. 그 즉시 자기는 자기 본성의 필연성을 따라서 살아가는 자유를 누리게 됩니다. 이 자유가 성(誠)입니다. "네 가지가 다 제거되면 "곧음으로 길러서 해침이 없다.""라고 말한 이유입니다. 따라서 다음과 같은 결론은 필연적입니다.

우리 자신이 자기 진실을 이해하면, 행동은 전혀 걱정할 필요가 없습니다. 자기이해를 따라서 자기 행동을 하는 자유 안에서 존재하며 활동합니다. 지행일치(知行一致)이기 때문에 지(知)에 대한 참다운 인식이 행동을 자유롭게 합니다.

2장. 예술의 아름다움

1. 다 좋은 세상

우리가 우리 자신의 몸에서 생명의 진실을 영원무한의 생명과 사랑으로 확인하고 그에 기초하여 자연 전체의 진실을 이해하면, 자연은 본래 장엄천지입니다. 자연 자체가 최고의 완전성 안에서 최고의 아름다움으로 존재합니다. 이 사실을 확인하는 것이 예술의 기초입니다. 왜냐하면 이미 아름답지 않은 것을 아름답게 만들 수 있다는 것은 터무니없는 것이기 때문입니다. 예술의 본성은 아름다움에 대한 탐구입니다. 여기에서 논의의 기초를 아름답지 않는 것도 얼마든지 존재할 수 있다는 생각에 두면, 아름다움에 대한 탐구는 아름답지 않은 존재를 찾아내겠다는 억지가 됩니다. 그러나 자연 안에 존재하는 모든 것의 진실은 영원의 필연성으로 최고의 아름다움입니다. 이것이 예술의 기초입니다.

존재하는 모든 것이 최고의 완전성과 영원의 필연성으로 아름다운 것이라면, 예술의 기초는 존재의 아름다움을 이해하는 것입니다. 존재의 감각적 현상에 대한 해석이 절대 아닙니다. 존재 그 자체를 향한 인식이 분명하지 못하면, 예술은 뜻밖에 아름답지 않은 것이 존재한다는 전제 하에 아름답지 않은 것을 아름다운 것으로 만드는 억지로 변질됩니다. 그렇기 때문에 예술은 무엇보다도 자연 그 자체

의 아름다움을 명백하게 이해하는 것으로 시작해야 합니다. 장재는
다음과 같이 말합니다.

[5-6-33 『완역 성리대전』]
勉而後誠莊, 非性也, 不勉而誠莊, 所謂"不言而信, 不怒而威"者與!

힘쓴 다음에 성(誠)하고 장엄한 것은 성(性)이 아니고, 힘쓰지 않으면
서 성(誠)하고 장엄한 것이 이른바 "말하지 않아도 신실하고, 성내지 않
아도 위엄이 있는" 자일 것이다.

"힘쓴 다음에 성(誠)하고 장엄한 것은 성(性)이 아니고"라고 말했습니
다. 지금 자신의 진실 및 자연의 진실은 영원의 필연성 안에서 생명
과 사랑입니다. 이것은 의지력으로 알 수 있는 것이 아니라 자기이
해의 정신력으로 이해하는 것입니다. "힘쓰지 않으면서 성(誠)하고 장엄
한 것"이라고 말한 이유입니다. 존재의 진실은 존재가 자기 안에 본
래부터 품고 있는 것이며, 그것은 영원무한의 생명과 사랑입니다. 이
사실을 이해하는 방법은 의지력이나 판단력이 아닌 자기이해입니다.
이 이해는 정신에 고유한 본래적 기능이기 때문에 정신이 자기 스스
로 생각함으로써 자기 스스로 이해하는 것입니다. 그 결과 존재의
장엄함을 이해합니다. 세상은 본래 장엄천지입니다.
　이 사실을 이해하는 것이 예술학 또는 미학의 본질입니다. 우리
인간을 비롯해서 자연을 구성하는 모든 존재의 놀이가 장엄한 것입
니다. 그 어떤 놀이도 장엄하지 않은 것이 없습니다. 존재의 놀이가
최고의 예술이며 동시에 최고의 아름다움입니다. 여기에는 그 어떤

설명이나 술어가 필요하지 않습니다. "말하지 않아도 신실하고"라고 말한 이유입니다. 또한 모든 존재의 생김과 놀이가 장엄한 것이기 때문에 그 어떤 것도 존재를 부정할 수 없습니다. 영원의 필연성으로 존재하고 활동하도록 결정된 본성 안에 있습니다. "성내지 않아도 위엄이 있는"이라고 말한 이유입니다. 이 이해를 확인한 사람은 자신과 자연 전체의 생김과 놀이를 최고의 예술로 확인합니다.

2. 인생 예술

자기 생명의 진실로 살아가는 사람의 인생은 다 좋은 세상을 누립니다. 자신의 인생이 이미 최고의 예술입니다. 이 사람이 성인(聖人)입니다. 성인의 삶 이상으로 아름다운 삶은 없습니다. 성인의 삶은 모든 순간이 성스러운 예술입니다. 장재도 성인의 '인생예술'을 다음과 같이 확인합니다.

> [5-6-34 『완역 성리대전』]
> 生直理順, 則吉凶莫非正也; 不直其生者, 非幸福於回, 則免難於苟也.

살았을 때 정직한 사람은 리(理)에 순종하니 길함과 흉함을 만나더라도 바르지 않음이 없고, 살았을 때 정직하지 않은 사람도 사특함을 행복으로 삼지 않으면 구차한 데서 환난을 면한다.

리(理)에 순종한다는 것은 생김의 진실대로 놀이하는 것을 뜻합니다. 자기 몸의 진실 및 자연 전체의 진실을 떠나서 리(理)가 없습니다. 이렇게 자기이해를 통해서 자기답게 살아가는 사람이 성인(聖人)이라고 했습니다. 오직 이렇게 성스러운 사람만이 다 좋은 세상을 누리는 축복을 받는다고 했습니다. 장재는 이 진실을 "살았을 때 정직한 사람은 리(理)에 순종하니 길함과 흉함을 만나더라도 바르지 않음이 없고"라고 말함으로써 확인했습니다. 우리가 이러한 방식으로 살아가는 한 인생 자체가 이미 최고의 예술입니다. 그렇기 때문에 자기이해 안에서 자기 생명의 진실대로 사는지 여부가 자기 삶의 아름다움을 판단하는 기초입니다. 인생에서 얼마나 많은 것을 소유했는지는 중요하지 않습니다. 그것으로 인생의 아름다움을 판단하지 않습니다.

[5-6-36 『완역 성리대전』]
"莫非命也, 順受其正", 順性命之理, 則得性命之正, 滅理窮欲, 人爲之招也.

"명(命)이 아님이 없으니, 그 바름을 따라 받는다."라는 것은 성명(性命)의 리(理)를 따르면 성명(性命)의 바름을 얻지만, 리(理)를 멸하고 인욕을 궁구하는 것은 사람이 초래하는 것이다.

"성명(性命)의 리(理)를 따르면 성명(性命)의 바름을 얻지만"이라고 했습니다. 여기에 인생예술의 진리가 있습니다. 성명(性命)의 리(理)는 자기 본성의 필연성으로서 영원무한의 생명과 사랑입니다. 이 진실을 이해함으로써 이 진실대로 살아갈 때, 우리의 인생 자체가 예술입니다. 이 진리가 분명할 때, 예술을 즐긴다는 것은 엄밀히 말해서 어떤 활동이나 체험이 아닌 자기 삶에 대한 진지한 성찰에 근거하여 자기

답게 살아가는 자유를 누리는 것입니다. 이렇게 자유의 사람이 모여서 함께 자연의 진실을 배우며 보다 더 큰 자유로 살아갈 때, 그 순간이 진정으로 예술을 즐기는 성스러운 순간입니다.

그러므로 장재의 다음과 같은 주장은 최고의 예술학이며 미학이 분명합니다.

[5-8-22 『완역 성리대전』]
志道則進據者不止矣, 依仁則小者可游而不失和矣.

도에 뜻을 두면 나아가 근거하는 것이 그치지 않고, 인에 의지하면 예술 활동을 하더라도 어울림을 잃지 않는다.

예술학이나 미학을 공간과 시간으로 시작하는 칸트의 오류를 우리가 반드시 간파해야 합니다. '공간과 시간'은 예술의 기초가 아닙니다. '도'(道)와 '인'(仁)이 예술 또는 미학의 기초입니다.

우리 생명의 진실 그리고 자연 전체에 깃든 모든 생명에 고유한 본성의 필연성이 예술의 기초입니다. 이 진실 또는 본성은 우리가 공간과 시간의 한계 안에서 생각하고 판단할 때에는 절대적으로 알 수 없는 것입니다. 자기 스스로 자기 몸에 대한 자기이해가 분명할 때, 자기 생명 및 자연의 생명을 타당하게 이해합니다. 이 이해를 추구하는 것이 욕망의 이성이며, 장재는 이것을 '志道(지도)'라고 합니다. 그 결과 자기 생명의 진실로서 영원무한의 생명과 사랑을 이해합니다. 이 이해로 무한한 생명의 생김과 놀이를 이해하는 것이 '依仁(의인)'입니다. 여기에 참된 예술 활동이 있습니다.

3. 예술의 성스러움

예술의 본질은 몸의 겉모습을 꾸미는 데에 있지 않습니다. 자연 안에 영원의 필연성으로 존재하는 무한한 몸들의 본질을 이해함으로써 그 각각의 본질 안에서 무한한 몸이 무한한 방식으로 무한하게 교차시키는 것이 예술입니다. 예술 활동의 즐거움은 여기에 있습니다. 왜냐하면 영원무한의 생명과 사랑으로 존재하는 단 하나의 실체 안에 생명과 사랑의 몸이 무한한 방식으로 무한하게 생겨나고 활동할 때, 생명과 사랑으로 존재하는 서로 다른 몸이 생명과 사랑 안에서 무한히 교차할 때, 이 교차가 곧 이미 완전한 아름다움이 보다 더 큰 완전한 아름다움으로 이행하는 최고의 기쁨이기 때문입니다.

여기에서 우리는 교차의 방법이 무엇인지 질문해야 합니다. 답은 이미 우리가 알고 있습니다. 서로 다른 몸의 감각적 현상들을 섞는 것이 아니라 감각적 현상으로 존재하는 서로 다른 몸에 나아가 그에 고유한 본성의 필연성을 이해하는 것입니다. 이 이해가 분명할 때 예술은 서로 다른 것을 뒤섞는 '잡종'이 아니라 서로 다른 것들이 생명과 사랑의 진리 안에서 '교차'합니다. 이것으로 생명과 아름다움은 이미 완전으로부터 보다 더 큰 완전성으로 이행합니다. 이것이 예술의 즐거움이며, 성스러움입니다. 결국 감정과학이 예술의 방법입니다. 장재는 이 진실을 다음과 같이 확인합니다.

[5-8-29 『완역 성리대전』]
善人云者, 志於仁而未致其學, 能無惡而已. "君子名之必可言也", 如是.

선한 사람이라고 이르는 것은 인(仁)에 뜻을 두고서도 아직 배움을 지극하게 하지 않아 능히 악함이 없을 뿐이다. "군자가 이름을 붙이면 반드시 말할 수 있다."라는 것이 이와 같다.

우리는 예술의 기초가 공간과 시간이 아닌 도(道)와 인(仁)에 있다고 확인하였습니다. 그러나 이 기초는 배움이 아니면 무너집니다. 모든 것이 생명과 사랑 안에 존재하기 때문에 그 모든 것 각각에 나아가 그에 고유한 본성의 필연성을 배워서 이해해야 합니다. 이 이해가 분명할 때, 우리는 절대적으로 공간과 시간 속에 있는 생명과 사랑을 어기지 않습니다. 또한 자연 전체의 진실이 약육강식의 전쟁이 아닌 생명과 사랑을 나누는 장엄천지로 드러납니다. 그렇기 때문에 인(仁)에 뜻을 둔 사람은 배움을 통해서 자연 안에 존재하는 무한한 생명의 진실을 배워야 합니다. 이 배움을 통해서 자연의 생명에는 선악이 없고 오직 순수지선만이 존재한다는 사실을 이해합니다.

그러므로 존재하는 모든 것의 순수지선을 이해하지 못하면 예술은 자기 존립의 기초를 상실합니다. 이 기초에 근거하여 우리는 감정과학의 예술 이론의 공효를 다음과 같이 요약할 수 있습니다.

[5-8-35 『완역 성리대전』]
責己者當知天下國家無皆非之理, 故學至於"不尤人", 學之至也.

자기를 꾸짖는 자는 마땅히 세상과 나라에 모두 잘못된 이치는 없음을 알아야 하기 때문에 학문이 "남을 원망하지 않는 데" 이르니 배움이 지극함이다.

감정과학의 예술을 연마하며 자연의 장엄함과 인간의 아름다움을 이해할 때, 인간은 잘못된 행동에 대해서 그 누구에게도 탓을 돌리지 않습니다. 예술의 정신은 아름다움을 영원의 필연성으로 이해하는 것이므로 이 이해에 근거하여 잘못된 행동들에 나아가 그 각각에 고유한 본성을 이해합니다. 이것으로 자연과 인간의 진실을 생명과 사랑으로 다시 확인합니다. 예술의 성스러움은 여기에 있습니다. 감정과학을 예술의 정신으로 인정해야 하는 근본 이유입니다.

3장. 인간의 행복

감정과학은 감정을 느끼는 사람이면 누구나 참여하여 연마해야 하는 학문의 진리입니다. 감정을 떠나서 인간의 본질이 없습니다. 감정을 느낀다는 것은 생각한다는 것입니다. 이 생각은 자기 안에서 자기 스스로 하는 것입니다. 우리가 감정을 느낄 때, 그에 대한 관념은 감정을 느끼는 자신의 정신이 자기 안에서 자기 스스로 형성합니다. 그 누구도 자기가 느끼는 감정에 대한 개념을 형성함에 있어서 자기 아닌 다른 것에 의존하지 않습니다. 그렇기 때문에 감정에 대한 타당한 인식을 추구하는 감정과학은 감정을 느끼며 살아가는 인간이 반드시 배워야 하는 인간의 기본 학문입니다.

사람의 모습은 무한한 방식으로 무한하게 다릅니다. 인종 국적 나이 성별 등, 그 어떤 사람도 자기 모습의 현상에 관하여 다른 이와 일치하지 않습니다. 자기도 어제의 자기와 오늘 그리고 내일의 자기와 일치하지 않습니다. 몸의 순간 변화 및 그에 대한 현상은 본래 무한히 변화합니다. 그러나 감정을 느끼며 감정대로 살아간다는 사실은 모든 사람에게 보편적인 단 하나의 진리입니다. 이 진리에서 보면, 서로 다른 인간은 절대적인 평등 속에 있습니다. 이 진실은 그 어떤 예외도 용납하지 않으며, 모든 사람에게 공평하게 주어진 것입니다. 따라서 감정과학을 배우며 감정의 진실대로 살아가는 한에서 그 어떤 사람도 영원무한의 생명과 사랑을 누리는 축복에서 배제되지 않습니다. 장재는 다음과 같이 이 사실을 확인합니다.

[5-8-54 『완역 성리대전』]
有受教之心, 雖蠻貊可教; 爲道旣異, 雖黨類難相爲謀.

가르침을 받는 마음이 있으면 비록 오랑캐라도 가르칠 수 있고, 도가 이미 다르면 같은 부류라도 서로 함께 도모하기가 어렵다.

"가르침을 받는 마음이 있으면 비록 오랑캐라도 가르칠 수 있고"라고 말했습니다. 생각하는 마음이 있고 자기 욕망의 이성에 근거하여 최고의 행복을 추구하는 사람이면, 누구나 감정과학을 배움으로써 행복을 누릴 수 있습니다. 그러나 어떤 사람이 자기 생각을 공간과 시간에 가두고 오직 그 조건의 한계 안에서 감각적으로 지각되는 현상에 근거하여 생각하겠다고 결심하면, 절대적으로 감정과학으로 누리는 축복을 즐길 수 없습니다. "도가 이미 다르면 같은 부류라도 서로 함께 도모하기가 어렵다."라고 말한 이유입니다. 여기에는 그 어떤 타협의 여지가 없습니다. 왜냐하면 자기이해의 '분석'과 감각의 현상에 의존하는 '해석'은 완전히 서로 다른 것이기 때문입니다.

우리가 분석에 근거하여 자기 존재의 진실을 이해하면, 자연의 모든 것을 영원무한의 생명과 사랑으로 배워서 이해합니다. 자연을 구성하는 모든 몸의 감각적 현상을 선악으로 해석하지 않고, 그에 고유한 본성을 인식함으로써 순수지선으로 확인합니다. 분석이 분명할 때, 존재의 모든 현상을 종합하는 것은 분석의 진실을 따릅니다. 분석으로 종합하는 것이 감정과학입니다. 그러나 분석을 알 수 없는 것으로 하면, 종합은 그 즉시 전쟁터가 됩니다. 모든 것의 순수지선을 모르게 되면, 모든 것을 감각적 현상에 근거하여 선악으로 해석하며 판단합니다. 나쁜 것, 그래서 반드시 제거해야 할 것이 있다고 착각합니다. 전쟁과 폭력이 발생하지 않을 수 없습니다.

감정과학을 우리 모두가 연마해야 하는 이유가 여기에 있습니다. 오직 이 학문만이 종합을 분석으로 합니다. 생명과 사랑 안에서 몸의 무한 변화를 생명과 사랑으로 확인하며 지킵니다. 종합을 분석으로 한다는 것은 영원무한의 생명과 사랑 안에서 자연의 모든 몸과 감정을 생명과 사랑으로 배우는 것입니다. 무한한 방식으로 무한하게 생겨나는 몸, 그리고 그 모든 몸의 무한 변화(놀이)를 감각적 현상으로 이해하지 않고 그 각각에 고유한 본성의 필연성으로 배워서 이해하는 한에서, 모든 것은 절대적인 순수지선으로 존재하고 있다는 사실을 확인합니다. 분석에 기초하여 종합을 이해하면, 우리는 그 어떤 것에 대해서도 선악으로 구분하지 않습니다. 오직 순수지선만 진실로 존재합니다. 이 인식으로 우리 자신은 자기가 신으로 존재한다는 사실을 믿고 이해합니다.

신은 존재 자체가 영원의 필연성입니다. '영원의 필연성'이 진실로 존재하며, 모든 것은 자기 존재에 관하여 영원의 필연성을 본성으로 갖습니다. 감정과학은 이 방식으로 신을 이해합니다. 모든 것이 신에 의해서 산출되었다고 말하는 근거입니다. 신의 몸과 마음이 진실로 존재하며, 모든 것의 몸과 마음은 신의 몸과 마음에서 유래합니다. 모든 것은 필연성 안에 있습니다. 지금 우리 자신의 존재가 이 진실 안에 있으며, 우리가 자연을 이해할 때에도 이 방식으로 자연을 이해합니다. 모든 것은 영원의 필연성에 의해서 존재하고 활동한다는 사실로부터 영원의 필연성이 진실로 존재한다는 사실이 증명됩니다. 우리는 이것으로 신의 존재 및 본성을 정의합니다.

이상의 논의로부터 다음과 같은 사실이 영원의 필연성으로 연역됩니다.

자기 존재를 자기이해 안에서 영원의 필연성으로 이해하는 것은 지금 자신이 신으로 존재하며 신의 정신에 고유한 생각으로 자신을 이해하고 있다는 사실을 증명한다.

이러한 성스러운 사실에 기초하여 자연 전체를 믿을 때, 자기는 신 자체이면서 동시에 자연 전체입니다. 신의 몸 안에 본래부터 존재하는 자연의 모든 몸을 신의 정신에 고유한 본성으로 이해합니다. 이 이해는 다시 자기 존재의 진실을 신으로 확인합니다. 장재는 이 사실을 다음과 같이 정리합니다.

[6-9-10 『완역 성리대전』]
"萬物皆備於我", 言萬物皆有素於我也 ; "反身而誠", 謂行無不慊於心, 則樂莫大焉.

"만물이 모두 나에게 갖추어져 있다"는 것은 모든 만물이 본래 나에게 갖추어져 있다는 말이고, "자신을 되돌아보아 참되다"는 것은 행함이 마음에 흡족하지 않은 바가 없다는 말이니, 즐거움이 이보다 더 클 수가 없다.

"모든 만물이 본래 나에게 갖추어져 있다."는 것은 자기 존재의 진실이 무엇인지 정확히 설명합니다. 지금 자기 자신을 감각적 현상으로 바라보면 자기는 우주 먼지 보다 작습니다. 그러나 자기이해를 통해서 자기 생명의 진실을 이해하면, 자기는 본래부터 신이며 동시에 자연 전체입니다. 장재는 이 사실을 확인합니다. 우리 자신은 본래부터 최고의 완전성 안에서 최고의 순수지선으로 존재하는 신 그 자체입니다. 이 사실을 인식함으로써 우리가 행복을 느낄 때, 그 어떤 것도 이 행복을 부정하거나 제한할 수 없습니다. 왜냐하면 신의 본성에 고유한 절대적인 완전성과 순수지선이 우리가 누리는 행복의 기원이기 때문입니다. "즐거움이 이보다 더 클 수가 없다."라고 말했습니다.

그러므로 덕(德)과 복(福)은 서로 다른 것이 아닙니다. 덕이 복이며, 복이 덕입니다.

[6-9-1『완역 성리대전』]

至當之謂德, 百順之謂福. 德者福之基, 福者德之致. 無入而非百順. 故君子樂得其道.

지극히 마땅함을 덕이라고 하고, 모두 순조로움을 복이라고 한다. 덕은 복의 기초이고 복은 덕이 이룬 것이다. 하는 일마다 모두 순조롭지 않은 것이 없으므로, 군자는 그 도리를 얻는 것을 즐거워한다.

장재가 정리한 감정과학의 성스러운 행복을 서양 근대의 철학자 스피노자도 다음과 같이 확인했습니다.

[스피노자 윤리학, 제5부 정리 46]

최고의 행복은 덕의 보상이 아니라 덕 그 자체이다. 우리는 쾌락을 억제하기 때문에 최고의 행복을 즐기는 것이 아니다. 반대로 덕 그 자체인 최고의 행복을 누리기 때문에 우리는 쾌락을 억제할 수 있다.

- 『신을 향한 지적인 사랑』(성동권, 부크크, 2024)